U0064408

劉福春・李怡 主編

民國文學珍稀文獻集成

第四輯

新詩舊集影印叢編　第142冊

【蔣山青卷】

無譜之曲

上海：泰東圖書局 1927 年 11 月初版

蔣山青 著

戰鬪在太行山底谷口

正中書局 1941 年 3 月初版

蔣山青 著

山青詩草

山川書屋 1937 年 8 月初版

蔣山青 著

花木蘭文化事業有限公司

國家圖書館出版品預行編目資料

無譜之曲／戰鬪在太行山底谷口／山青詩草　蔣山青　著 -- 初版 --
新北市：花木蘭文化事業有限公司，2023〔民 112〕
100 面／ 52 面／ 108 面；19 ×26 公分
（民國文學珍稀文獻集成 · 第四輯 · 新詩舊集影印叢編　第 142 冊）
ISBN 978-626-344-144-6（全套：精裝）
831.8　　111021633

ISBN-978-626-344-144-6
9 786263 441446

民國文學珍稀文獻集成 · 第四輯 · 新詩舊集影印叢編（121-160 冊）
第 142 冊

無譜之曲
戰鬪在太行山底谷口
山青詩草

著　　者　蔣山青
主　　編　劉福春、李怡
企　　劃　四川大學中國詩歌研究院
　　　　　四川大學大文學學派
總 編 輯　杜潔祥
副總編輯　楊嘉樂
編輯主任　許郁翎
編　　輯　張雅淋、潘玟靜　美術編輯　陳逸婷
出　　版　花木蘭文化事業有限公司
發 行 人　高小娟
聯絡地址　235 新北市中和區中安街七二號十三樓
　　　　　電話：02-2923-1455 ／傳真：02-2923-1452
網　　址　http://www.huamulan.tw 信箱 service@huamulans.com
印　　刷　普羅文化出版廣告事業
初　　版　2023 年 3 月
定　　價　第四輯 121-160 冊（精裝）新台幣 100,000 元　

無譜之曲

蔣山青 著

蔣山青（1906～1960），江蘇南京人。

泰東圖書局（上海）一九二七年十一月初版。
原書長四十二開。

無譜之曲
重翠群書之乙壹
著者蔣山青
上海泰東圖書局出版

無譜之曲

重翠羣書乙之一

蔣山青著

上海泰東圖書局印行

獻給碧波

無譜之曲

我祇是唱呀，唱呀，唱出我心中的憤怒悲傷和快樂，
我不會矯柔造作，販賣那虛僞的頹唐，
這裏的是我情緒與心靈的，分明的影像。
流露的血淚，養就這鮮花，請先讓我自家欣賞！

目錄

再致死者……一
　一　雙雙曲
　二　昨夜曲
　三　天長曲
鬱之淚……一二
相逢日……一五
曲懷……一八
心鏡……二〇
丹唇……二三

我要掘發了你底墳塋……三四
夢痕……三六
幽怨……四〇
寄海濱寶璫……四五
盲樂師……四八
無譜之曲……五七
如果……六四
投明……六六
青春已去得迢遙……六九
復活的青春……七一
給——……七四

再致死者

雙雙曲

雙雙地來到你孤寂•的墳前，
絲絲的細雨洗凈了莽莽的秋原：
脈脈的哀思輕在我胸中迴蕩，
癡癡的凝望我知她也在悲傷。

＊

也許她能有驕矜的微感，
我祇充滿了深厚的愧慚；
我們看不見你底形貌，聽不見聲音，
祇草際蟲鳴代你作沮落之悲淦。

＊

我心想着你那朽枯的白骨，
我眼望着她嬌艷的紅顏；
你請不要哭她，如果你還能痛哭，

2

昨日的紅顏也許是今朝的白骨

＊

你也許爲你在世的戀人安慰，
你見我消失了滿臉的酸悲；
你定還向你在世的情仇嫉妬，
是命運使你在情塲落伍。

＊

但你請不必感傷，不必感傷，
你婀媚的丰姿長印上我胸膈的中央。

你當容許我純摯地愛她，
她自難禁我癡愚地戀你！

＊

她在傾灑着同情的珠淚了，
我凝視着秋風中飄颻的墓草；
如今又早是已涼天氣，
你墓中寒峭請添件秋衣！

二 昨夜四

4

二之一

昨夜我曾被秋風吹送，
來到你孤寂的墳中，
墳中並不似理想之黝黯，
是愛之火焰，燃成了燐白的微光。

*

你落寞地獨坐，飲泣而嗟呀。
我初見你背影時，明知是較前細瘦；
你滿含清淚的眼睛，告訴我，你那由衷的驚訝，我們從何說起？祇緊握了冷冰冰的雙手。

※

你傾訴着你沮落的悲哀，
我陳述着這頹唐的過去；
我願長留此間，你却促使着我重回人界，
狂痛的訣別之聲應響着喔喔的鷄啼。

二之二

她說有時也見過你，在你那凄涼的墓底，
她知你便是你，你像我告她的形像；

6

但你突變了獰猙的面目，似正要吞她，
她獻給一朵白玫瑰花，換得了你底慈祥。

※

她知道你在恨她，恨她佔有了你底戀人，
（但這却難怪她，應怪我，怪我難依宿諾，
我該和你同葬秋原，不，也該堅抱獨身。）
你又作慰安的微笑，笑看她，她雨餘的芍藥。

※

你最後緊抱着她時，更頻頻地狂吻，

你感傷與慰安的眼淚透進她顫動的紅脣；
你不願我也遭遇你不幸的遭遇；
你知道她正賜予我以活潑的生機。

二之三

我同她又同來到到過的墳中，
我們要和你談說這積衷的感想；
但此時不見你往日的聲容，
悲哀之氣息化成了無邊的黝黯。

※

8

我們蒐集了三五飛螢，
有了微渺而幽細的光明：
我們見你散陳的骨片，你腐化的屍灰，
你乾白的髑髏眼穴中滿盛淸淚。

＊

我們悵然地歸去；歸去，
似馭風而行，有冷露沾衣；
如果這人生的春夢一朝完了，
我們與你將有着相同的情調！

三　天長曲

「天長地久有時盡，
此恨綿綿無絕期！」
你當長咏此詩我也把此詩長咏，
讓我把過去的情懷細細地思量起。

*

但你請不必感傷，不必感傷，
你嫵媚的丰姿長印上我胸膈的中央；
你當容許我純摯地愛她，

她自難禁我癡愚地戀你。
雨又落了！落了呢！
絲絲地……………………………………
凄迷，凄迷，凄迷…………………………
雨水正是淚水，
雨聲正是悲聲，
絲絲地，絲絲地……………………………
……………………………………………………

八月二十二日波碧十八生辰寫

愁之浪

這汹湧的，瘋狂似的，愁之浪呀！
又蕩近，蕩近我底身旁了。
我剛纔離去了愁船，那沉沒的孤帆，
立在這邊岸上。

*

瘋狂似的浪喲，迅疾地它冲蕩呀！

滾滾地，滾滾地，高潮的水花，打濕了我底衣裳了。
我剛纔離去了愁船，那沉沒的孤帆，
立在這邊岸上。

＊

岸上，沒有百仭的高牆，經不住狂濤的冲蕩，
堤块土崩，我便又落下在汪洋，
被狂濤捲向中央。中央有沉沒的孤帆。
這愁之浪喲！

＊

我隨着狂濤急奔，我有時力竭將沉，
勇猛地泗水，掙扎着推開了浪層，一層，一層，
尋着了一方礁石，我暫且存身。
暫且存身——
又蕩近，蕩近我底身旁了，
這汹湧的，瘋狂似的愁之浪呀！
滾滾的水花，又打濕了我底衣裳了。

十五年四月十六日 愁海中

14

相逢日

若沒有白鷗在波心留影而輕迴似的嬌笑，
你在我眼中便沒有這樣醉人地美了！
尤其是你那金鈴子低唱似的聲音，
把石刻的 *Venus* 滲注了生命與魂靈。

*

不遇見善於射情愛之箭的 *Cupid*，

沉醉在你底面前我還可醒來！
我底心箭㮀般，既被插上了一支金箭，
便沉醉死了我也要依傍着你底芳顏！

＊

你那無邪的心峯上也曾穿射了這般的金箭？
我願以最紅最熱的血鮮供你底飲吸。
我這生命的金蘋菓也許能換取你底青眼，
不，祇請你說聲「可憐呀！」我也能死在你神聖的面前！

＊

16

「她可以是你的，你原應是她的！」
我聽了天使底指示便預備走近了你。
但你底哥哥他要我能有 *Midas* 底點金術。
他揮我，挾了帶箭的丹心，墮下悲憤與失望之深窟。

十五年十二月相逢日

曲意

這樣恰好，似嫩月初花能永久使人戀念，
試看明月團圓，名花燦爛，也祇是雲煙過眼！
霎時間，你看，那月已破缺，花也凋殘，零亂，
你底歡喜，贊嘆，驟成了哀怨，感傷，悵惘！

※

這樣更好，祇嫩月初花能永久使人戀念，

若是名花滿握，明月入懷，也許能使你生厭，
祇是這般的高不可攀，纔教你流連欣賞，
你被陶醉沉迷了，像大杯喝上二兩四兩高粱。

＊

她那細細的眉，彎便是春江上下映襯着的兩鉤嫩月，
她那淺淺的笑靨好似乍展的初花在微飔中搖曳，
我願在模糊裏描摹着清新的印象，
我願在離散中體會着歡晤的那時光。

十二月十五日

心鏡

你底心兒是一面鏡子，能夠顯映着一切，
它現着快樂的影子，如果你是很快樂；
它現着悲愁的，如果你是在悲愁的時節；
我正以眞情走近你時，它可曾留下我之影子？

*

我底心兒是一面鏡子，也能夠顯映着一切，

是快樂悲愁都留下相同的形迹，如你的，
你底嫵媚，你底嬌羞，你底嫋娜的玉體，
都在我這澄明的鏡上刻畫了不可磨滅的印象。

※

如果這鏡子你的，我的，都祇是半個，
它們總該有這樣的機緣，但願兩兩地相合；
用我這熱愛的血漿洗刷你鏡上的骯髒，
用你那善意的淚水冲凈我鏡上的塵灰！

※

我們的互顯映着是這樣地深刻清楚；
兩兩地將伴合着經過了長遠的時光，
直到衰老把我們送進了淒涼的黃土，
枯朽的碎片上，還都留下了依稀的影像！

22

丹脣

一

冥黑的氣分漸包圍了天地，
疲憊的太陽射出衰弱而火赤的光芒；
這遍野的紅樹，滿樹的紅葉，
更鮮明而燦爛了有如帝胄的金冠。

*

冥黑的氣分已包圍了天地，
疲癒的太陽葬到遼遠的渺茫中，
這遍野的紅樹，滿樹的紅葉，
更幽嫺而靄鬱了有如沉醉的玉容。

*

是這人世間自然之錦繡，
使我厭惡那鬼國的灰黝，
使我迷戀這當前的美景，
甜美的生前，祇賸有淒淸的夢境。

24

＊

不能重有呼吸，我却能馭空而遊行，
願好風吹我，尋來戀者底枕邊；
不能重作脈搏，我却有狂放的熱情，
讓我瘋顛地吻吮那壯美的睡顏！

＊

我將牽出了他那純摯的靈魂，
使他歡忭，感傷而驚疑；
同來領略這片片的丹唇，

看簌簌地飄向深潭裏。

※

我們領略，我們擁抱，我們吻吮，

前生的遊樂之美夢將伴我長埋！

我陶醉，我嚮往，我長將歌咏，

我定要尋他！有好風送我，飛去，飛來！

二

是夜色染黑了山林，更逐漸掩蔽，

祇睞眼的星星，射出寥落的清光，

我輕飄飄地尋他去！尋他去！
片片的丹唇，已經被夜收藏！

*

我乘風輕飄地馭空而遊行，
我偷偷地撲向繁燈的市廛，
但這蒼蒼的萬屋千垣，
何處是戀者底家園？

*

用珠淚洗清了模糊的眼臉，

提精神振作着柔脆的腰肢，
我來去飛旋飛旋將遍，
何處是戀者底家園？

＊

市廛中夜色却那樣淺薄，
燈火的輝光射眼欲盲；
我不禁惶急而長嘯。
有驟起的飈風逼我挾了嚴霜。

＊

我要尋來我那戀者底枕邊，
喧擾的市廛，已是這般地寂靜；
我願瘋癲地吮吻那壯美的睡顏，
遠近的犬嚎，又使我驚避！

*

長嘯着惶急地遊行，將迷失了方向，
經過了長久的，長久的沉悶之時間；
看霜濃風勁，我孱身欲裂，驚魂欲斷，
天啦！何處纔是我戀者底家園？

三

喔喔的晨鷄，喊白了冥黑之長天，
蟬翼似的初霧中我重回孤塚；
我要獨自賞玩昨晚的丹唇片片，
啊！可憐啦！這潭邊滿地的殘紅！

※

我儘在潭邊飄泊而徘徊，
鬆軟的殘紅鋪就了厚深的葉毯；
我憑弔這孱弱的深秋之佳人，

百感薈萃，使我深深地喟嘆。

＊

我把她底屍骸聚起掩埋？
她定也難耐那窟底的悲哀！
我把她投之浩海？
但怎能飛越關城！

＊

我橫身躺下吮吻吮吻
這薄命佳人；任霜濃風勁，

任殘紅埋我深深，深深……
也強似孤塚黃昏落寞淒清！

＊

我雖想領略那片片丹唇，
同了戀者底純摯的靈魂；
但他定牽愁觸恨，如見這殘紅，
我幸昨迷失，夢中，幸不重逢！

＊

誰說死後魂飛，渺茫無感？

32

我但願重行淹化，永離鬼國！
深葬中央，把我這孱弱的幽靈，
有鬆軟的殘紅，建築成厚深的壙廓！

十五年十一月十四日

我要掘發了你底墳塋

我要掘發了你底墳塋，
劈開了你底三尺桐棺，
我狂吻枯骨，爬下棺心，
黃白的屍灰，承受我這傾流的眼淚。

*

我要携帶着你底骷髏，

34

囘家來放在枕邊頭，
綰住了你那游散的幽靈，
夢中來共訴這脈脈的離情。

十五年十二月十八日

夢痕

一望無垠的沙漠中，忽有甘泉供飲啜，
久于渴望的我是若何的輕快！
你更消瘦了！看臉竟蒼白如銀，
夢裏的細腰，裹着紗衫輕舉似浮雲。

＊

你底眼淚便是絕壑上點點下滴，滴不盡的清水，滿臉的黯雲，我知道，你有一肚皮的酸悲；
你終於含着眼淚笑了，如你生前一樣，
感激你！你怕我悲酸，我却怕朝你看！

＊

我像還睡在兒時的搖籃中，
坐我身邊的你似有着慈母般的笑容；
我也曾喊過你「媽媽，」我們也曾熱烈地抱吻，
但你今夜的嘴唇，怎冷於死人底嘴唇？

＊

我喜靜聽你娓娓的談說，嚦嚦的音聲，
在那脈脈的情韻中，待我沉沉地睡去。
你還在懊惱？你此時悄沒聲兒又是怎的？
待我用火燒的熱吻，吻開你緊闔的冰脣！

*

你注視我時，我看見兩塊晶潤的綠琉璃，
你美麗流動的眼波，莫非是竟都凝凍起？
你請呆呆地看罷！是不是我比從前也消瘦？
這半載的哀愁，眞「不是悲秋，」也「非關病酒！」

＊

你竟還急着回去！你把我單個兒扔在這裏！

我起來追你，你像幽靈之飄盪而飛移；

畢竟讓我追上了！畢竟牽住了雲樣的紗衫，

但待我醒來，醒來呀，手裏是一角之蚊帳。

十六年一月四日

幽怨

在這醜惡的人世，有過一雙眞摯的情侶，
佢們用眞摯的愛熱，點起了聖潔的明燈，
把當前黑暗的愁層，層層地蕩去，
以赤心互換，佢們不似那世上的人們！

※

不幸的遭逢賜與佢們以連續的打擊，

佢們却以深烈的同情、為彼此底慰籍。
有許多新鮮的企望，佢們都不能滿足，
莊嚴的舊勢力之下，佢們雙雙地屈服。

✲

佢們底心海，匯合成涌赤的汪洋，
佢們底靈苗，交生了長青的枝幹，
要在世人底遺忘中，消受那甜美的幸福，
天使為佢們祝禱，春色因佢們穠馥。

✲

佢們沉醉在自己釀成的愛酒裏，
佢們勾留在自己織成的情夢中，
妬嫉而殘暴的惡魔，他不讓一切有少許的美滿，
經過了幾多不幸的佢們，却還有更加不幸的遭逢！

※

是暴病剝奪了她底健康，身心上受幾多重創，
是慘死割斷了她底生命，墳壙中深葬意難平，
任誰用熱血灌注，終涸了她那春水似的眼波，
看酒醒夢回，無可奈何，祇賸了淒涼的一個！

42

＊

淒涼的一個呀！正是這淒涼的我，
我要把廻旋的印象，排遣這無限的淒涼；
但囘憶是銳利的針鋩，一針針刺在我底心上，
我要逃出這世界，我等待這生命底消磨！

＊

清麗的湖山，是我們生長的家鄉，你看：
走盡這蜿蜒的道路，便是舊遊的去處；
如今這寥落的路旁，新添了她底墳壙。

朽腐的棺木裏，她諒已變作了塵土！

＊

臨去的太陽，初升的月亮，都爲她凄楚，

慘澹而柔婉的光芒，投射着乳突的孤墓。

么小的鳥雀，常立在墓畔白楊上歌唱，

歌唱着有了眞情又怎的不能美滿！

十六年二月四日夜

44

寄海濱寶瑄

是命運底打擊和折磨，牽合了同病相憐的你我這幾個，
我們不能滿足，便以此爲滿足罷，這原也値得滿足，
各自置身於別一世界裏，譬如瞎子，不去看這世界，如何？
我們要常常自尋快樂以狂笑代替那酸辛的啼哭。

※

命運底打擊和折磨，原是刺激我們，勉勵我們的興奮劑，

你看命運好的，足食豐衣，也不過是庸庸沒世而已！
我們把身心供命運底鍾鍊，用碎流的骨血寫就詩篇，
悲苦中有樂趣，便是阿鼻地獄裏也應有樂園。

※

命運底打擊和折磨，我們應該歡迓，不應該厭惡，
你看海水拍打礁石，愈是急驟便愈能奏起雄偉的音樂，
我們要做礁石，任海水拍打，便是海飛浪湧又能算什麼？
這偉大的音樂值得我們讚嘆值得我們欣賞！

※

是打擊，我們要認作鞭策；折磨，要認作砥礪，
我這樣想去，便不再酸辛，不再悲苦，祇有歡喜，
我們牽合在一起罷，在一起罷，永遠地不要離分，
我們且忘了這世界，也讓這世界永忘了我們！

十六年二月六日

盲樂師

一

繁華囂鬧的城市裏有過這樣的一位盲樂師，
他走路艱難，兩眼闔上，看到的祇是茫茫的黑暗；
走東到西，餐風飲雨他有時三兩天喫不着一口米飯，
他懷抱三絃，左右兩手上下按彈，暫忘了苦痛之事。
年紀大了，苦痛的遭逢逼着他困窮，催着他衰死，

他戀念着手指彈出來的世界，他還是苟活偷生，
受多少吆喝與打駡，他祇得嘻笑着挨戶放絃聲。
繁華躉鬧的城市裏便常見這位盲樂師。

※

他夜裏隨處安身，放下那肩頭的裀褥，
是一張狗皮，半床夾被，三兩件衣裳，一團破布。
長調新翻，自家欣賞，他高高低低地按彈，
好似餐飯，可以搪得飢餓；似衣裳，可以擋得寒涼；
在他黑暗的眼前，幻化着諸般的情境，

他靜默地兀坐着，咀嚼那裊裊的餘音；
過去的離合悲歡，潮湧般，在心頭漲落，
他終是痯貼地徐度他那孤老的生活。

二

繁華囂鬧的城市裏也有過這樣的一位大鼓孃，
她生有美秀的容顏，比玉還潔白，比花更鮮妍；
她一手連敲着皮鼓；一手叮叮噹噹，緊打着銅片，
她進退作勢，態度從容，人叢中，高壇上，曼聲歌唱，
歌唱着古代的英雄美人，有的是豪壯，有的婉婉。

聽衆齊被感動，喊破喉嚨叫好，鼓掌如雷，
有多少公子王孫都迷戀着如狂似醉。
繁華囂鬧的城市裏便常見這位大鼓孃。

※

她幼年父母雙亡，零仃孤苦，却又給匪人拐騙，
流落在他鄉異縣，經歷了數不淸的風險；
如今是學藝已成，和她那假母同闖江湖，
聲譽漸隆，有了她賽過是一顆搖錢樹。
她假母便預備待價而沽，賣給那生張熟李，

但她却屢次留難，百方趨避，守身如玉。
她祇願孤獨終身，聚幾個錢財，留一個自由人，
却有時脈脈的悲怨如焚哽咽着徐展歌脣。

三

「既說你流浪慣了，你不受拘束，不愛金錢，
我情願，把這悲怨的身體，嫁給你，和你那三絃！
有了你，那時我歌聲曼妙，便相得益彰，
讓我倆同在人寰淪落，——我唱，你彈！」
這大鼓孃偶然地和他會見在大街上，

52

聽了那淒楚的三絃，她大為讚賞；
請他幫忙，她情願認他作丈夫，
凝視着躊躇的面目，她急待他底回復。

＊

他靜默無言，漏出的兩行清淚，淌到嘴邊，
意外的一番感動，攪擾着他底心園；
——竟有人垂青眼愛慕我這老叫化！
——試聽那鶯囀的聲音，諒還是美貌的嬌娃！
他待想忘棄人世，但還賸眞情未死，

用破袖擦乾眼淚，他表白着自己底心思：
「我祇好隨你同去，但我們要拜作父女，
我拚着彈破十指，報答你此番的知遇！」

四

繁華囂鬧的城市裏從此便常見他們倆，
這位沉默的盲樂師，和那位秀美的大鼓孃。
他捻着，挑着，撥着，劃着絃子，又蟹爪似地上下按抹，
隨着歌聲底輕重疾徐，有時是激越，有時又溜滑；
歌聲絃響，合成了一片，聽的人都快要癡呆。

54

聽他們愈彈愈起勁，越唱越有精彩；
她粉而不改，愈顯紅白，淡染眉黛，輕溜眼波，
他卻正襟危坐，細弄那珠走玉盤，絲裊碧落。

＊

他們倆聲名遠近流傳，座客常滿，徐度時光，
是喧天的礮火，遍地的虎狼，鬬散了綺麗的歌場，
「自古紅顏多薄命」可憐她身與珠喉，同歸於盡，
祗賸那裂帛似的慘叫，常繞着她那義父底心靈。
他飲食不進，一連七天，續續地，彈出了滿懷的幽怨，

他爲她哀弔，也在爲自己哀弔，絃音欲絕，淚下如泉；
看滿眼斷壁頹垣，屍叢中，橫添了這一位老盲，
繁華囂鬧的城市，曾幾何時，變作了沉寂淒涼！

二月十五夜

56

無譜之曲

我信口開合地唱我自己底歌，唱我自己底歌，
我唱千遍萬遍，唱不出相同的一個；
我祇是唱呀唱呀，唱出我心中的憤怒悲傷和快樂，
在我看來每一個調子，都是不朽的天才底創作！

※

我唱，我高聲低聲地唱，放出我粗爽的歌喉，

我唱我忽快忽慢地唱，接着那天然的節奏。
好似暴雨颶風驟然而來，夾着霹靂的雷聲；
好似一脈清泉，潺湲地，潺湲地，在山中流溅；
好似無羈的奔馬，大道上，踏出急亂的蹄音，
又像銅鼓緊敲，大隊的戰士們飛一般向前跑；
好似半夜鐘聲呼應着力竭聲嘶的哀哭的女人，
一會兒寂滅了，一會兒又接起暫時中斷的音繩；
我一口氣唱一個音符；又一口氣唱完了全部的音符；
我有時自己聽不出；又有時震破了自己底耳鼓；

聽見的人，都罵我瘋狂，便瘋狂了又待何妨？
你們不懂呀！這是我流露眞情的無譜之曲！

＊

我信口開合地唱我自己的歌，唱我自己的歌，
我唱千遍萬遍，唱不出相同的一個。

＊

眼前的境界，腦底的幻痕，都是我歌唱的題材，
我快慢高低地唱去，唱我這無譜之曲。
現實隨着想像在轉變着，轉變着在，

歌聲正牽了視覺，游歷到當前的，醒後的夢中來：
我看見火山爆飛，大地震裂，驚心動魄，
偉烈的火焰，衝破了中酒酡顏的長天；
我看見鯨鯢在海上騰翻；獅虎在林中搏戰；
我看見月光如慈母底笑顏，在輕吻孤塚上的衰草；
我看見柳枝上的老知了凄凉地哭訴着哀怨；
我看見潦倒的英雄水盡山窮，在痛飲杯酒，一聲聲長嘯。
我自己被自己底歌聲感動，眞眞地便要瘋狂了！
你們不懂！呀這是我流露眞情的無譜之曲！

＊

我信口開合地唱我自己底歌，唱我自己底歌，
我唱千遍萬遍唱不出相同的一個。

＊

我不是音樂家，但我菲薄多少音樂家，
我不擅音樂，但總要這樣，纔懂得音樂的眞價。
我不用繁華鈴，不用七絃琴，我祇是無意識地唱；
祇要不斷了呼吸，不啞了喉嚨，我總得無意識地唱；
「蜻蜓喫尾巴，」我是自己歌唱，自己欣賞。

我唱了像奏凱歸來，歡呼聲中，我哈哈狂笑，
我唱了，像死了戀者，看物在人亡，我哀哀痛哭；
白熱的眼淚淌到嘴邊，我便用舌頭㖭，
我唱了，自信，自滿，我更向自已驕傲，
我有悲多汶譜出月光曲一樣地歡喜。
我即使瘋狂了，我定還得意洋洋地唱去！
你們不懂呀，這是我流露眞情的無譜之曲！

※

在我看來，每一個調子，都是不朽的天才底創作，

我祇是唱呀唱呀，唱出我心中的憤怒悲傷和快樂；
我唱千遍萬遍，唱不出相同的一個，
我信口開合地唱我自己底歌唱我自己底歌。

如果

如果我底身旁也有着這樣地一位姑娘！路邊紅白夾雜的桃花沒有她那樣地嫵媚，橋畔搖曳的柳絲沒有她那樣地柔婉，天上飄飛的白雲沒有她那樣地皎潔；而她竟在我身旁！我願以全部的生命，換取這片時的值得驕矜的享樂！

※

如果我底身旁竟永沒有這樣地一位姑娘！我將咀咒路邊那

紅白夾雜的桃花底嫵媚，我將厭惡橋畔那搖曳的柳絲底柔婉，我將妬嫉天上那飄飛的白雲底皎潔；而她終不在我身旁！我願以所有的血淚哭悼我這廿年的無可奈何的命運！

一六，四，二四，遊半淞園歸後。

投明

我從黑暗中逃脫了出來，
黑暗賜與我的是恐懼和悲哀；
我底周遭是愁與怨的圍陷，
有着惡魔底引誘和戕害。

＊

我領受過卑劣的諛媚，

黑暗中我也鑑賞過獰猙的面顏，
醜惡的短劇內我做過登場的傀儡，
一度嘗試，是一度的惶恐和哀怨。

※

我從黑暗中逃脫了出來，
恐懼與悲哀變作了勇敢和歡快；
我看見黑暗中我底罪惡的過去，
我將以自新的意志救護我這晦頽的人格。

※

我重有了生底躍進和新鮮的呼吸，
我要堅決地遺忘那淪落的心懷；
我知道，黑暗中，有着呑人的墳穴，
勾攝我的，是腐朽的屍骸！

十六年五月七日

68

青春已去得迢遙

青春已去得迢遙，
遺留下的祇是頹廢憂傷和這可咀咒的衰老！
我夢想着青春底囘來，恢復我那天眞的歡笑，
但靑春已去得迢遙了！

＊

青春已去得迢遙，

辜負了我底過去的時光，我祇有厭惡我底命運，
如果能得及時行樂常保有着我那活潑的童心；
但青春已去得迢遙了！

＊

青春已去得遙迢，
現在所有的也還算得是青春的軀殼我要怎樣地愛惜！
但我底過遭祇是無邊的黑暗我願重有我不幸的過去！
但青春已去得迢遙了！

五月十三日

復活的青春

憔悴的花朵又重開得燦爛了，
灌溉它的是醉人的眼波，是動人的音波。
我頓時忘懷了過去，過去也將忘懷了今我！
我重有了燦爛的現在，但將來畢竟如何？

*

我底心泉不曾有過潺湲地快意地流濺；

自從有一塊悲哀的石頭塡塞了幽細的血源；
但自從遇見了她呀，她移去了我那悲哀之石，
噴飛在我胸臆裏的，如今，有熱烈的丹泉。

※

我底面盤不曾有過，卽使是淺淡地慰安的笑靨，
自從有一層慘傷的濃霧籠罩了憔悴的面顏，
但自從遇見了她呀，她揭去了我那慘傷之霧，
流露在我形體外的，是活潑奮興的情緒。

※

72

衰死的青春又重過得蓬勃了，
挽救我的是深烈的同情，是優秀的仙娥；
我頓時忘懷了過去，過去也將忘懷了今我，
我重有了燦爛的現在，但將來畢竟如何？

六月二十八日紀實

給——

一

如果你是聖靈的上帝，
我將永久地皈依在你底神座之前。
如果你是浩淼的汪洋，
我將長遠他浮沉在你底清波之上。
如果你是燿燦的花枝，

我將衛護在你底旁邊直到天荒地老時。
如果你以深烈的熱情爲我寂寥的安慰，
我將以生命的全部供應你隨意的施爲。
如果我底將來眞能如我現時的期望，
我將以未來的美滿補償我這過去的淒涼。
如果我底將來不幸竟像我現時所推斷，
我將以冷黑的手鎗結束我那失望的悲傷。
如果你是深遠的空谷，
你當能應響着我這急切的歡呼。

如果你是無塵的明鏡
你當能映現着我這誠敬的影形。

六月二十八日誌感

二

如果這是夢喲，這便是值得驕矜的夢了！
我永離了悲愁的深窟，將充滿着慰安的歡笑！
誰說世界上已沒有同情？你正與我以深烈的同情，
誰說愛神是盲目的？我和你，正伏在她那聖靈的翼底。
自從我聽見了你天籟似的惠愛的音聲以後，

76

我這羸弱的身心便將永遠地爲你所有。
即使你遺棄了我時，我祇有哭悼而永思，
思量這榮幸的過去，這安慰與深知。
命運是自己底兩手所能改造的，如今
我們將有着順利而歡欣的命運！
即使是兩兩地離分，即使是此日便死亡。
我們低心靈已很滿足，因有這當前的美滿！
但我們要各自保重爲了我們未來的光榮！
我們要各自審愼，顧到我們現在的存身！

前進罷，展佈在我們底面前的，
是那玫瑰花兒鋪成的道路千里；
歌唱罷，包圍在我們底身旁的，
是那芬芳的醉人的氣息。

三

我們底靈魂已經是合爲一個，
我們從此要高唱勝利的戀歌！
我曾經問過：「但將來畢竟如何？」

七日十三夜十二時

畢竟呀我們將長有着幸福和歡樂！
我們要在愛的酒漿裏消磨着
我們這值得驕矜的歲月；
更要在我們底世界裏面，
勉勵着，期許着，安慰着愛戀着！

七月二十三日長吻之後

四

我喲，好比是那多情的維特，
我却永遠地佔有了天使化身的綠蒂，

我要永遠地擁吻她在我底懷抱裏；
我不會有着他那不幸的遭遇！
如果他知道我並不重踏他那足蹟，
他將異常地驚訝，分外的悲傷。
無情的手鎗，雖是來從有情人底手裏，
終于僅祇結果了他那慘澹的生機；
我哩？我將抱着我底上帝似的綠蒂，
向着它，那無情的手鎗，那動人的悲劇，
呈露着，呈露着光榮的勝利的微笑！

微笑，微笑，微笑，長遠地微微地笑！

七月三十一日寫于K身旁

五

讓我歌唱着你底美麗，妹妹！
我那純摯無邪的妹妹！

※

你底眼睛好似兩點流星，
那是清泉凝固成的，它流麗而清明！
長吻着緊抱着你時，

它美于原來的美好！

兩排睫毛，一條條黑曲線形的，
它飽孕着你純眞的情愫和絕頂的聰敏。

※

你底眉毛，疏朗朗的，細描描的，
遠峯沒這玲瓏，新蛾沒這窈窕，
長吻着緊抱着你時，
它美于原來的美好！
它有時映襯出嬌慵，流露着惺忪，

82

你有時也把那滿天愁悶都掛上這眉巃。

※

你底耳朵眞賽過白玉琢就，
你底鼻子也像是細粉裝成；
長吻着緊抱着你時，
它美于原來的美好！
我也曾曼聲在耳邊輕喊一聲聲妹妹，
你有時也嬌羞滿面任鼻尖觸我這雙眉。

※

你底嘴唇，它更能沉醉我整個的魂靈，
它底整個像一隻鮮艷的出水的紅菱；
　長吻着緊抱着你時，
　它美于原來的美好！
它曾絲絲地透送着脈脈的深情，
我願葬身裏面它便是我底墳塋。

※

你底手是那樣地綿軟而潔白，
它有着驚人的電力，它能醉我，那灼熱！

長吻着緊抱着你時，
它美于原來的美好！

同樣地你底雙足常發着幽細的足音，
常被足音牽動我那寧靜的魂靈。

＊

你底臉子滿含着嬌柔與幽靜，
它時時薄留紅暈，似淺醉微醒：
長吻着緊抱着你時，
它美于原來的美好！

自從把絲絲的黑髮，披掛在額角與腮邊，
它好似霞蔚的長天映襯着遠山入眼。

*

你整個的身體是發達而均勻，
你腰肢柔細似揚柳舞風輕。
　長吻着緊抱着你時，
　它美于原來的美好！
我願這兩個身體合成了一個，
我和你，你和我，在性靈之外，更合成大我。

86

＊

讓我歌唱着你底美罷，妹妹！

我那純摯無邪的妹妹！

八月六日雲蓋山下

我信口開合地唱我自己底歌，唱我自己底歌，
我唱千遍萬遍，唱不出相同的一個；
我祇是唱呀，唱呀，唱出我心中的憤怒悲傷和快樂，
在我看來，每一個調子，都是不朽的天才底創作！

著作者 蔣山青

發行者 趙南公

十六年十一月初版

(1—2000本)

發行所 上海泰東圖書局

每冊定價三角五分

戰鬪在太行山底谷口

蔣山青 著

正中書局一九四一年三月初版。原書三十二開。

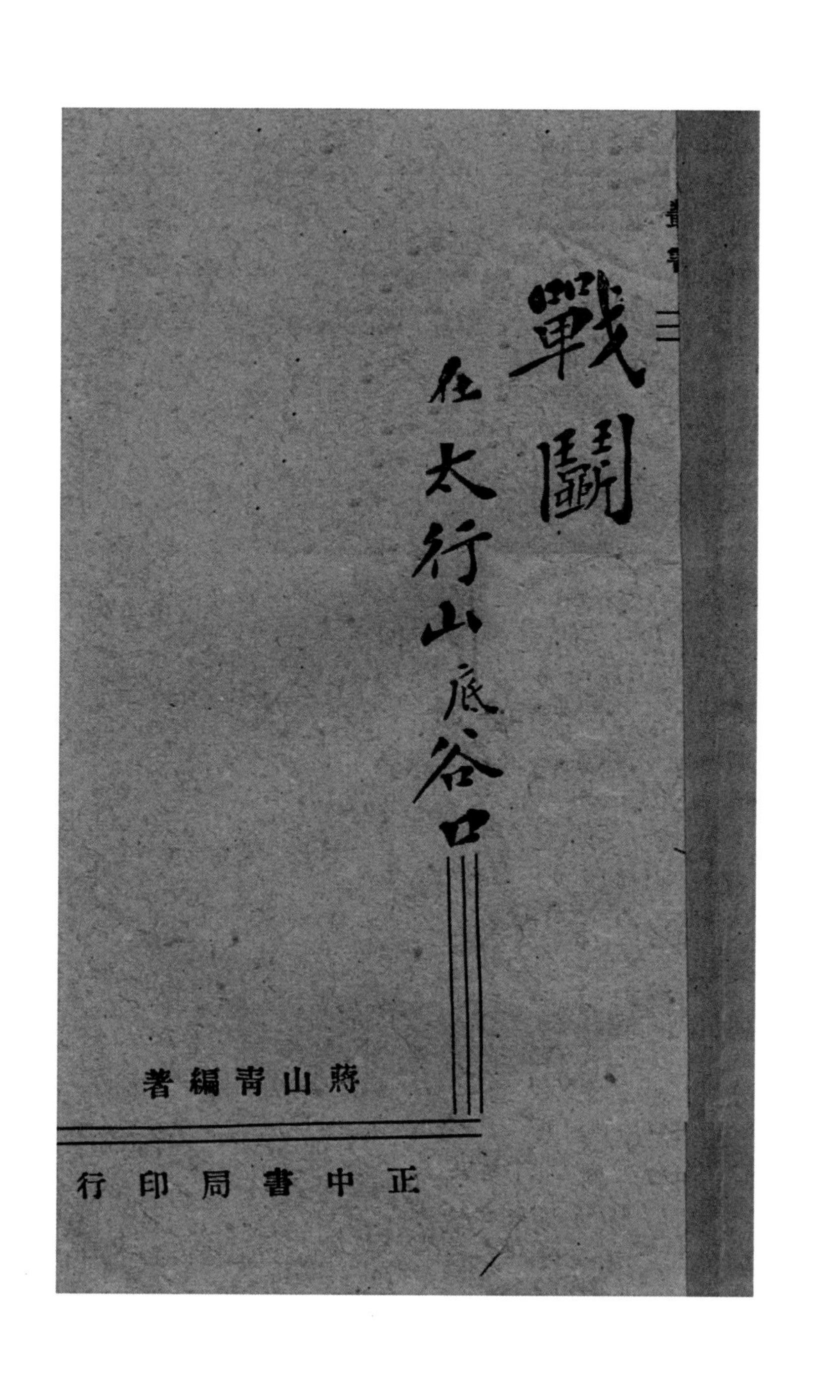
戰鬭
在太行山底谷口
蔣山青編著
正中書局印行

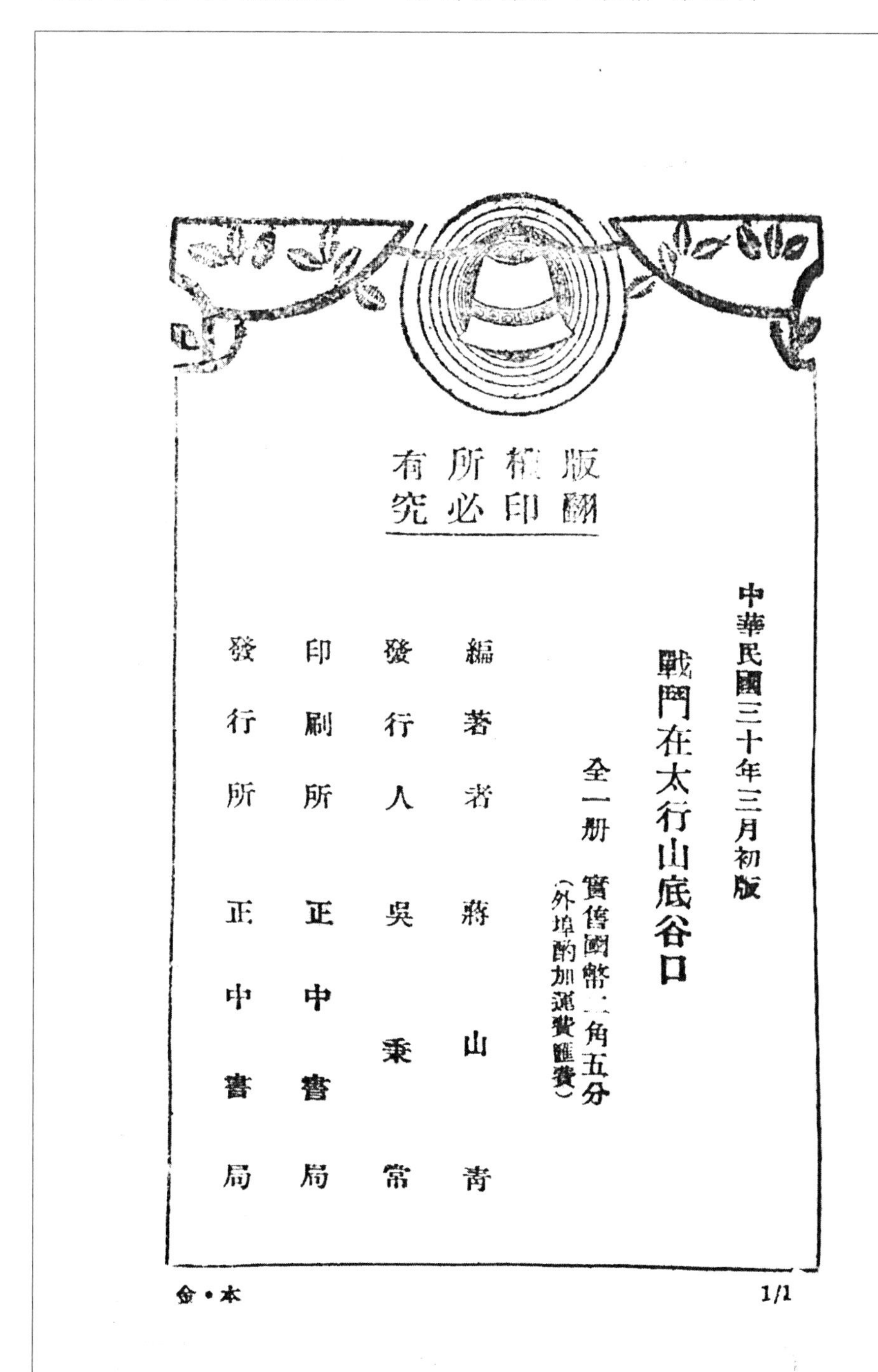
中華民國三十年三月初版

戰鬥在太行山底谷口

全一冊 實售國幣二角五分
（外埠酌加運費匯費）

編著者 蔣山青

發行人 吳秉常

印刷所 正中書局

發行所 正中書局

金•本 1/1

盧溝橋序幕戰發生不久，滬戰繼起，壯烈的史實終於把那時代底苦鬭給洗滌淨盡了！全國作家底筆觸，也轉向於如火如荼的描寫，把可歌可泣的戰史，留在各種各樣的作品裏；與武裝同志一般報效着國家與民族的，是這聲勢浩大的筆部隊！我既躬逢着這一偉大的時代，雖然自知不會有什麼貢獻，然而敢不追隨着這筆部隊，做一些搖旗助威的工作。

這樣，從二十六年七月到現在，陸續寫成了幾首短詩，和一篇長詩「戰鬥在太行山底谷口」。最近有了印行的方便，就編成這樣的一小册子。

關於那幾首短詩，沒有什麼可說的；因爲那些祇是抒寫了一時的感想，或記錄了一部分壯烈的史實而已。至於那一篇長詩，倒有將當時的作意，在這裏敍述幾句，以助讀者賞鑑的必要。

第一，這是根據大公報一篇題作「太行山陰七勇士」的戰地報告而落筆的，相信多少有着它底眞實性；即在抗戰的史實上，值得用比較藝術的形式來再現珍貴的內容，使今後的讀者，或更可留下深刻的印象，起着追懷的景仰。……可惜原報告已經遺失，不能給讀者參互對照了。

第二，我軍愈戰愈強的事實，從這個故事中可以充分地表現出來，應該使全國的軍民，乃至友邦的人士，由此獲得印證，而增進抗建勝成的自信與共信，加強或擴大出錢、出力、出知識的行動。

第三，敵軍底頹喪消沉，也是無可否認的事實，從這個故事中，也可以有力地給人們一個清楚的認識，堅定着一切被欺騙的宣傳所動搖的意志，和一切被表面的變化所迷惑的情緒。這裏，會企圖從根本上剖析敵軍絕望的心理和渙散的士氣。

第四，如果還可以贅述一點，便是在中國今日的詩壇上，仍然缺少着一些史詩樣的敍事長篇；儘管已有許多人在努力地創製，且已有許多美滿的收穫；但這樣的嘗試，大概還不會嫌其多餘。我既對於詩底創作感到興趣，尤其是對於敍事詩願意特加研討，多所創造，遂覺得把握着這樣壯烈的史實，運用想像，鍛鍊結構，選擇辭藻，調和神韻，抑揚節奏，並且描繪聲色，來從事這搖旗助威的嘗試，諒來也不會是毫無意義的。

因此，帶着無限的興奮，寫了這首敍事長詩；我希望新詩鑑賞界能夠給予一些指教！——當然因缺乏實際的經驗與觀感，祇是依據新聞，馳騁想像，定有不少的粗疏與隔閡，這是自己也非常抱憾的。對於那些從事實際工作，投身前方合線，出入封鎖包圍圈的作家們，我是如何地歆羨喲！原來我們應該拿自己底血汗來凝鑄偉烈的詩篇！

倘使這些詩能有一星兒宣傳上的效果，那麼對於給予印行的方便者我師陸步青先生，由衷的感慰，將不止關於區區一人能！

蔣山青二九、八、二七於施南

目次

前記……一
戰鬥在太行山底谷口……一
奉安紀念日憶總理陵園……二六
趙母……二八
危樓的堅守……三二
流離……三四
送李生從軍……三六
空襲……三七
「四二九」讚……三九
木更津航空隊之幻滅……四〇

戰鬥在太行山底谷口

壹

太行山底一座谷口：
谷西低窪處滿是田疇，
成熟的高粱鋪一片金黃；
青蒼的雜樹擁簇着一二村莊，
半綿的野草蓋不住赭赤的土壤；
遠處又蜿蜒着一灣河水，透出明朗；
自然底筆觸，在這燦爛的構圖上，
沒有忘了襯一幅藍天，描上白雲底流走。
遠處那白雲底長手，
有時摟抱着對面矗立的高峯，
更載巧匠般在那蒼藍的山巒，

鏤鑲了許多空靈的孔竇，
顯得悠靜和變幻。
高峯外，圍繞着千萬山，
綿亙成雄偉的太行。
你得喘着氣走上那些岡嵴，
然後跨上了谷口底石坡，
纔能曲折地走向山陽。
向山陽，這兒正是一道關！

×

侵略的礮火，震驚了太行山底和平的自然！
這谷口，像一切天生成的雄塹，
也變成了民族底關楔，和新的中國底搖籃！
佈置了防禦的前進陣地，
準備向敵人猛擊，也等待着敵人盲闖。

貳

一個未寒已涼的秋夜，
下弦月色，把大地照成了夢幻；
夜泣的殘蟲，訴說着無端的哀感，
松濤，吼一陣雄深壯闊的波瀾。
忽然間，從那原野裏飄起驟音：
幾處零落的狗嗥，驚傷着一串清脆的馬蹄，
接着還有雜沓的步伐，和磨擦金屬器械的輕響。
這樣經過了很久的時間。
出沒雲端的月亮像望着這條鋼樣的長蛇
鑽進了曲折的山路，像尋獲一所隱密的洞窟。
在那朦朧的黑暗裏，
山陽是海樣地深廣！

×

天亮前——
牆下在松林裏面，
控制着從平原到谷口的通道，

有七位少壯而堅強的戰士，
和隨身武器，充分彈藥，
一挺新銳的重機關鎗。
秋夜的涼風逼他們打了幾個噴嚏，
有時微感到軍衣的單薄，免不了顫戰。
將沉的斜月散播着清光，
牽惹起無限的思量。
但記起長官底訓話便立刻驚醒。
由陽已逐漸透出明朗的天光，
使他們憧憬着勝利的遠景：
人人不再有奴役的運命，
人人是自由平等的中華國民！
可是這要從他們七位，
要從五百萬將士，
要從四萬萬五千萬同胞底英勇抗戰，
來堅持，來爭取，來完成的——

這樣他們感覺到無上的光榮，
格外認清今天任務的綦重！

×

他們澎湃的血潮，像八月錢塘底咆哮。
忘不了的是剛纔夜半的景象：
一位英武的長官是全軍愛戴景仰的，
有着弟兄的愷悌，父母的慈祥，
和崑崙山般不可搖撼的決斷，
他傳布着軍令：
「兩翼陣地太明顯，
暴露過多，會不利於全軍團，
我們現在要把主力撤退，
撤退到谷口東邊太行山陽。
讓鬼子們追擊，
追擊到這座奇險的谷口，
碰着隱密而堅強的埋伏，

任憑他千軍萬馬，
[illegible]都要被我除殲！
親愛的青年武士！偉大而光榮的七位弟兄們！
出於你們底自願，經過了嚴厲而苛刻的挑選，
現在擔負這一次偉大光榮的任務！
要掩護我們主力撤退中的安全，
給追擊的敵人以阻截的殲滅！
要從黎明到黃昏，大約經過十二個鐘點！
在這時間以內，任務比生命值錢！
愛惜生命的請莫再來到我底面前！
若是過了這時間，
我們底主力，足夠在新陣地上展開，
我希望你們能夠回來」！
長官那熱忱的願望
使他們當時都是萬分地奮感！
「你們到底回來！讓每位伙伴，

和你們猜幾拳，喝幾盅白乾」！
他們希冀着那時的狂歡！
爲完成任務，心裏充滿着無限地樂耽」
這像長官臨別時誠摯的一握，
鎗械底微涼觸着手端。

×

晨曦升起，照耀着大地，
谷西的田疇和田疇外屏列的遠峯
却還被薄霧迷濛。
清溪蜿蜒，有時瀉在高松；
無名的野花到處鮮紅。
一羣雲雀迎着晨光，
飛繞樹叢，
把細碎清脆的音符，
譜奏着一篇讚頌！
七個人底警覺，隨着逐漸明朗的天光，

也更加明敏，更加清醒！
三個人守護着機關鎗巢，
打開身邊的彈箱，纏上長條的彈帶，
緊扣着火門（有一分鐘六百發的威風）；
其餘的四個隨時可以補充，
先散開在周圍，站定了崗位，
瞄鎗瞄準着敵陣。
他們抑制不住那緊跳的脈搏：
七顆心都似乎在向外衝，
七對眼睛一同搜索，
靜待着看有什麼異動。

×

一位熟練的機關鎗手，老大，果然英勇！
（他們昨夜序過年齒，結拜了異姓的弟兄）
「老二！你有點兒不自在罷？
難怪！幹嗎你自告奮勇」？

站在大哥身邊，酒精鼻兒通紅的老二，
心裏正在有些兒搖動，也可以說是慌張，
聽這嚴正的一問，纔克服了自己心靈底徬徨。
大家接着隨意地低談，消磨了一些岑寂的時光。
遠山和平原，從那迷濛的曉霧中，
漸漸露出了本來的面目；
雲塊披着霞彩，
飄浮在淡藍的天穹。

叁

砰！——砰砰！——砰！
兩小時以後——！
突然一陣步鎗底叫嘯，
加強了他們情緒底緊張；
暗中伺候着的一羣獵戶，
聽見貪狼嗥着將陷進預張的阱網；

很冷靜地各自瞄準着敵人底方向。
逐漸明顯的四五十個敵人，
（編成了前衛尖兵隊）
正向谷口鳴鎗挑戰。
他們總是不回手——等着敵人走進了
重機關鎗底扇形射界，
還當做這裏並沒有提防，
把隊伍密集：蜂湧，魚貫，踹上了岡背。
勇武的老大纔從容搖動了機關鎗，
老二湊上了長條的彈帶；
看那鎗口冒着紅光，
吐出了高度薙射的彈丸。
眼見擁上來的敵人沒一個生還！
沒有辜負了任務，大家高興地誇讚
「眞是不含糊喲！咱們寶貝重機關」！
忙着裝換彈帶，

不讓它餓了肚腸——

×

「嘿！你們慢點兒嚷！
你們看！看那塊青石旁」！
忽然瞧見一條漏網魚，
老三連忙地高聲喊：
「那個鬼雜種還想逃竄呢，
青石旁，可不是一個活王八旦」？
說着他就砰地放了一鎗，
把那敵人打中了掀翻在土坡上；
但是他還會游呀游地蛇行，
（的確胳膀上帶了重傷）
到底溜出了鬼門關！

肆

又隔了半小時，

兩百五十個敵人編成的前衛本隊，
再用展開的隊形向這谷口進攻。
先用礮火轟擊我棄去的陣地；
除了土塊和石片四散地飛揚，
谷口一帶沒有我軍底一點動靜。
當做防守的隊伍已經完全撤退，
半密集的兩百五十個敵人搜索着進入陣地，
驕傲地絲毫不在意！

×

七個勇士看準了半密集的敵人，
掮鎗曳咬又進入了射界，
他們纔沉着地再使重機關鎗痛掃，
又從各種角度猛射着步槍。
敵人受着了教訓，纔倉皇應戰，
集中了火力，在估計着方向…………
措手不及又早被消滅了一大半！

—12—

膛下沒有死的，不知道我軍底虛實，
雷不免膽戰心慌，匍匐着，等待死神底光降。
有的還能放幾槍，仰射不能瞄準，
不過白糟蹋了槍彈。
接着這膛下的一小半，
伴着射擊底休止作了永久的安息。
震撼着前山後山的槍聲彈響，
和飄蕩在高空低空的鐵流火網，
逐漸寧靜後，又度過了兩三點鐘的時光。
老大吐一口唾沫，擦乾了滿額角的熱汗，
看着其餘的伙伴，光輝地堆一臉笑容；
大夥兒也都會心地微笑着說：
「看看到底還有多少王八旦，
讓老子們殺個痛快！
要把你們底屍身再堆起一座太行」！

伍

一色蔚藍的天宇，
迷濛着濃得化不開的硝煙，
漸漸和白雲打成了一片，
飄曳着遮蓋了遠山。
又隔了一些時間——。
侵略者貪婪而兇猛的礮火，
在青天白日下的原野，
又放肆地爆發着，顯得更加猖狂。
敵人底大隊發現了迭次的全軍覆沒，
挾着「復仇」的憤怒，
開始向着谷口，用巨礮環攻；
把一切能以設防的地段，
任何一角的平原和岡樹，
都作發掘式的猛擊，
雷雨般，傾倒下無數的礮彈。
從正午，直到太陽偏向西方。

這時候敵人的所要射擊的區域，
從古遠年代以來的土層與石崖全被掀翻；
也不教地面上留一點生物。
這樣又耐過好幾個鐘點——
敵人見已沒有動靜，
纔敢提心弔膽慢慢向谷口一帶試闖。
唯恐又遭遇一次奇妙的回敬，
殲滅着那不可知的命運——
敵人到底衝進了
巨礮所造成的，滅絕的環境，
到處搜尋着看有什麼「戰利品」。
除了漏斗狀的無數彈坑，
和播散、堆積在一旁的土石，
却難以發見他們底「敵人」，
卽使是一些遺痕。
也沒能領悟自己底那些伙伴們，

先前是怎樣一再地受了教訓。
「或者神出鬼沒的中國軍」，
敵人們自己還在思忖：
「這一回總是真的轉進」？
望着伸引向山陽的路徑
罩起了紫褐色的煙雲，
預感着像是一條墓道，
通到「皇軍」自己底墳塋。

陸

敵人不停地搜尋：
最後發現了一枝重機關槍，
旁邊一排的彈箱裏再也檢不出一粒彈丸，
用剩的彈帶像幾條蛇蛻兒躺着，
槍巢邊，有七具受了重創的屍身。
屍身上留着許多急救的包裝，

在生前他們曾經是裹創應戰。
這些終於是被發見了，
在那大堆斷殘的松槐枝葉
所遮掩的一個坡上，
那裏原來是一區樹林，
前面有突兀的崖石做了屏障。
敵人底大隊長，被這奇壯的事蹟所刺激，
禁不住引動了崇拜英雄的觀念。
他下令集合着隊伍，
排列在坡前岡巒上，
遙對着那七具屍身的方向。
爲要挽救起不可救藥的頹喪，
就把這忠勇的典型，向自己底部下，說教宣揚：
「中國底軍人實在是越戰越強」！
大隊長接着也陷入了渺茫而沒落的感歎：
「七個，僅僅是七個！

都懂得機巧的戰術，
有高貴的犧牲精神，
便教我們犧沒了偌多人！
豈不是値得稱讚？値得模倣」？
（於是他記起敵酋杉山元，
出發視察各戰線後囘到太原，
召集各部隊長官
所訓示的那悲觀的講演。）
他底聲調更顯得蒼涼、緩慢，
掩不住憂愁痛苦的容顏。
「『皇軍』死傷了一百幾十萬！
此外，還有無數的疾病、逃亡、潰散！
『皇軍』在中條山、太行山，在各戰場，
士氣是不能振拔，進取是沒有希望，
想起旣往的失敗，念及來日的艱難，
如果再不能懺悔、惕勵、改良，

『皇軍』底命運是祇有悲觀』！
說着，他次第睇望着環列着的
那些垂頭喪氣的部下，
（都在遐想着悲慘的收場，
像孤帆一葉，捲下了危瀾。）
「我們『武士道』應該崇敬
那些值得欽慕的『敵人』！
大家要把這七個中國底軍神，
當做『皇軍』自己底模樣」！
雖然隊長後來是大聲疾呼，
回答着他底興奮
還是大衆底沉默、疲乏、
和那不能自已的絕望。
隊長再命令着部下：
搜集起散亂的七個人底遺物，
合葬在他們生時共同守護的機關槍旁。

這時偏西的太陽，
已經銜緊了遠山；
紫褐色的雲塊聚攏着，
變得有些兒沉重，
漸漸地把太陽掩沒，
似有山雨欲來的模樣。

×

忽然有一個軍曹沉着地走出了行列。
他就是在前衞尖兵隊裏，
第一次戰鬥，蛇行兔脫的那個傢伙。
他回去曾向隊長報告，
纔又斷送了前衞本隊的兩百多個。
他哀悼着兩百多個伙伴底死亡，
同時面對着七個英勇的中國軍神，
也湧起了一種難言的崇敬。
他挾着重創的右膀，

走出了行列，請准了隊長，
要向這七個軍神瞻仰一番，
好在終身的記憶裏面，
再留下一段更深刻的印象。
於是他離開了大衆，
大衆用嚴肅的眼光追隨着，
瞧着他走近七個屍體底前端。
兵曹拖着一副頹唐的步伐，
懷着被震撼，也被盪漾的一腔情感，
走過了一個、兩個、三個、第四個屍旁，
他看出他們每個的臉上
遺留着一片愉悅與安祥。
第五個，他走近了紅鼻子老二，
老二倒在一大堆松枝上，
胸前潛流着鮮紅的血液，
袋囊還臍着一顆手榴彈。

兩個眼睛掙扎着轉了一轉，
兵曹底眼睛正迎着了這無比的威光……………

×

大衆底眼睛釘着那兵曹
向那七個軍神瞻望——
大衆猛覺得眼前一閃，
耳邊是一聲劇烈的震響。
原來兵曹底頭和肩
已經血肉淋漓地飛斷，
一個破殘的軀體，
倒在老二底屍身上。
有看得淸楚的說：
當兵曹走近那一具屍身，
屍身底手掌裏握着一柄手榴彈，
（大概他掙扎地取自胸前）
他還有一絲知覺，

（也許不過是受了重傷）
他把手榴彈猛然拉放，
要和那兵曹——他底敵人
最後能夠摧毁的敵人，
一同悲壯地死亡！

柒

大衆眼見着一個兵曹又被饒上，
沒有憤怒，反是更加讚歎！
他們把兵曹底遺體挪開一邊，
每個人捧一掬淨土，
合力築成了一座高大的墳墓。
大隊長親手寫一塊墓標，
「支那七勇士之墓」，
寫得一點兒也不肯潦草。
再命令全體整隊，

排列在墓前的岡巒上：
喇叭不再嘹亮，用低音。
吐出了無限嗚咽和無限悽惶。
不覺秋天底陣雨
已經淋溼了大衆底臉龐，
挾着涼意的微風，
飄捲着軍旗上的旭日章。
在大衆舉槍致敬的當兒，
隊長又親手把那墓標栽好，
滿臉嚴肅，脫去軍帽，
對着墓標，一再深深地彎腰。

×

大衆底心情
也更加陰沉，
秋雨愈密，
秋風愈緊，

大衆愈是迷惘地
被投入一程凋零的夢境。
披着溼的毛羽，
撑着重的翅膀，
有一隊悲啼的烏鴉，
在大衆底頭頂上迴翔；
這纔約略警醒了
大衆底迷惘和悲愴。
幽深而曲折的山路裏，
又響起了與夜行軍的「預備」號音。
那軍號餘音，還在太行山底谷口盪漾：
「太行山！太行山！
你新的中國底搖籃！
山陽的中國陣地，
是鋼鐵一般地堅強！
山路喲，恰是一條墓道，

通到『皇軍』自己底墳場」！

奉安紀念日憶總理陵園

巍巍的紫金山下，
灩灩的玄武湖前，
　建設着花園錦簇的陵園；
陵園裏我們底國父長眠。
成千到萬的同胞同志，
天涯海角的淑士名媛，
　都懷着忠誠的景仰，
　和沈痛的悼念；
攀登了崇高的石級，
瞻望着肅穆的靈殿，
　禮讚那功業底彪炳，

和德澤底綿延

今天又臨屆奉安紀念，
敵氛却籠罩着聖潔的陵園！
巍巍的紫金山將是愁容滿面，
林泉崖石忍受着焚污和踏踐；
灩灩的玄武湖將是淒涼一片，
舫艇長亭放縱那狐犬留連；
陵園底花木再不願爭妍吐艷，
建築物在企望國軍底凱旋。
長眠的國父他將是如何地憤怒？
在天之靈當切盼着後方與前線：
願後方精誠團結充實着力量，
願前線犧牲奮鬥把暴敵除殲！

同志們你不能忘了紫金山下！

同胞們你不能忘了玄武湖前！
你不能忘了國父蒙難在陵園，
長眠的國父現在還不能安全！
快把你底資財與體力，
去完成抗戰建國的宏願；
用熱血洗滌我們底恥辱，
仗勝利解除我們底讎怨。
早一天收復失地，瞻禮靈前，
祈求着：寬恕我們底罪愆！

趙母

保衛我們底土地，
保衛長白山和黑龍江，
保衛黃金鋪地的家鄉！
到處有我們底義勇軍活躍，
隨時會給兇狠的敵人以懲創。

其中最使敵人喪膽的，
乃是趙侗底母親，
六十多歲滿頭白髮的老娘。

九一八以來，六年多的戰鬥，
使她鍛鍊了行軍的智勇，
也更堅定了抗戰的心胸，
儼然巾幗的元戎！
歸附的子弟困苦中逐漸強大，
風雪裏屢次掃蕩了敵蹤。
她和兒女們都被愛戴推崇，
一門忠孝盡是民族英雄！

偶然受幾番挫折，
使她們失去了關外的憑依，
永遠存在的却是那復仇的意氣；

遠矚着關內不久也會遍舉起烽火，
覺着的山河難免不再被敵人佔據；
悄然向關內流亡，
暗中却在調整補充着實力。
盧溝戰起，立時重舉了義旗。

她自視絕非衰老，
開把雙槍齊發，
向東北雲天叱咤着咆哮。
更時常訓練兒女和部下，
等待着機會便把敵人圍剿。
果然敵人又屢受嚴重的打擊。
她協同着正規軍底戰鬥，
屢次建立了偉烈的功勞。

她是中華民族母親的典型，

燦爛的歷史將長留神武的英名；
現在震爍着冀晉的山河，
幾萬人匯合的鐵流是不可輕侮地強勁，
願豐足的械彈與糧餉底補充，
再逐漸充實她底隊伍！
相信：侵襲的敵人，
將在她底威力下化成了灰燼！

中華民族萬萬千千的母親，
應該把趙母做個榜樣！
你們縱然不能夠身臨前敵，
也該把兒女奉獻給建國的疆場，
也該把錢財捐送給抗戰的庫房。
黃金鋪地的家鄉已被敵人侵佔，
今天我們不去保衛我們底土地，
明天我們底子孫，

便都是被宰割的羔羊！

危樓的堅守

八百壯士據守在四行倉庫百尺高樓，
租界友軍屢次竭力勸他們全軍退走，
祇要跨過蘇州河，到達西藏路，
立刻大家便獲有安全的去處。
但他們寧願把八百人底熱血，
齊向這閘北最後的堡壘流瀉，
從容地再向敵人索取相當的代價，
雄踞危樓，使敵人不敢再向前衝殺。
也正給軍人創造了崇高的典型，
開展着中華民族無限的光明；
全世界謳歌讚歎這犧牲底壯烈，
民族復興的歷史上留下光輝的一頁。
八百壯士凝結成一股堅韌的鐵流，

佈置着防禦工事，鎮定地準備戰鬥。
頻繁地接受了中外紛投的餽贈，
每一件充滿着感奮與敬佩的眞忱。
還來了一個勇敢的女童子軍，
渡過河流，跨入窗檻，受多少艱辛，
鄭重地呈獻一幅大的國旗；
嚴肅與興奮使八百健兒一齊感泣！
在那軍號和歡呼的交響當中，
青天白日滿地紅的大旗便飛舞高空，
使四圍林立的寇幟都黯然無色，
西沉的落日正象徵着侵略的政策。

八百壯士都曾給家屬寫下了遺囑，
祇有榮幸，沒有痛苦！不能成功就成仁，
今日的一切正是理想的遭遇，
槍彈底襲擊、砲火底轟炸在周圍猖獗，

他們更堅決地視死如歸。
其實戰線上到處是閘北的高樓，
到處有忠勇的將士在猛攻堅守，
為完成民族底復興，熱血已染遍原野，
他們更將踏着熱血前進。
四萬萬五千萬人不是隨便可以征服，
侵略的威力在正義前面終將顛覆！

流離

——寄禮棟內姪——

臨晚的羣鴉，
飛覓着隱棲的叢樹；
顛覆了安頓的家園，
你現在飄流何處？
你失散了母親和兄弟們，
我懂得你底愁苦！

經歷着遼遠期程的家書，
是你母親懷念你的探詢，
即使知道了你底行蹤，
我也無從給你復信，
誰知道火線下的婦孺，
她們又逃到了什麼地方？
祖母牽掛着你們底安全，
早已是寢食難安！
一路上定有逃奔的大衆，
向荒村露宿，雪地趲行；
你幼小何辜？
可曾感覺到顛沛與孤零？
但你又何幸而親歷閱歷這苦難？
在苦難中成長會成長得更強勁！
就像國家也正需要這磨折，

她從磨折中掙扎出前途的光明！
飛繞枝頭的鴉羣，
[illegible][illegible]會在良夜中紛紛睡穩，
迎着破曉的晨光，
更將展佈着奮飛的雲程。
願你也及早有了歸宿，
等待着民族底新生！
早獻出來你所有的精力，
擔當這救亡復興的責任！

送李生從軍

十年來沒有見面，
今天你現身眼前，
成長了如一株蔥茂之龍柏，
你底軀幹是無比地壯健！

重逢的歡快滲雜着再別的悽傷，
但是我應該鼓舞你底勇敢！
你將開始踏上那遼遠的征程，
準備獻身國家殺敵疆場。

我實在覺得慚愧！
家庭成爲我底累贅！
我原和你一般地年青，
暫時卻祇得守護着我底本位！

多少同輩的青年是消沉而麻木！
你底趨嚮值得驕傲，這是你底光榮；
努力地爭取最後的勝利吧，
讓我迎迓你在奏凱聲中。

空襲

警笛開始怒吼，
市民又來上嚴肅的一課；
藏在屋裏的顯得鎮靜沉着，
躲下防空壕，是些婦孺老弱。
想起每次暴行底殘酷，
燃燒着心頭的復仇怒火。

聽那短促的緊急傳音，是更覺警醒，
我們英勇的空軍正在包圍驅逐，
高射槍礮底衝擊好似連珠，
要換取一些燼餘的禮物！

每回悠長的笛聲宣揭着解除底輕鬆，
市民完畢了鍛鍊敵僞的課程，
抗戰的熱情當然是更加興奮，
無情的脅迫祇換回無謂的犧牲！

「四二九」讚

「二一八」底英武的打擊，
應該給倭寇留下深刻地記憶；
　居然硬着頭皮又來冒犯，
依舊殺得他有來無去！

廣漠而朗晴的天空，
展開了我軍運動殲滅戰底陣容，
　四面八方圍攏了死角底射擊，
眼看敵機又在繼續地送終。

尤其壯烈的一幕空戰，
是把受傷的機體向敵機猛撞，
　糾纏着一同降落原野，
我們底健兒卻安然下降。

又有一機逐漸被敵機包圍，
放一陣煙幕卻得從容地撤退，
靈巧的技術該夠使倭寇震驚，
我神武的空軍已贏得全世界底敬佩。

「四二九」更英武的打擊，
將消蝕了倭寇空襲的志氣，
如果還有再來冒犯的膽量，
不過是多送一份厚禮。

木更津航空隊之幻滅

盤旋如秋空之鷹隼，
垂涎着中華錦繡的河山，
愈瘋狂而無忌的，
是那木更津航空隊。

欲一舉而盡殲精銳，
深入我繁盛的市廛，
放肆地企圖破壞一切的，
　是那木更津航空隊。

但，遭遇着振翼的神獅，
搏戰中竟不堪我空軍之一擊，
遂繽紛有如落葉飄墮的，
　是那木更津航空隊。

全世界知道侵略者底威力，
將隨虛矯的盲目政策而瓦解，
眼前呈現着顯明的榜樣的，
　是那木更津航空隊！

山青詩草

蔣山青 著

山川書屋一九三七年八月初版。原書三十二開。

山青詩草

山青詩草

蔣山青著

第壹卷

敘事詩輯

山川書屋版

一九三七

目　次

新詩散議（代序）……1

無譜之曲……7
詩人……10
愁之浪……11
秋神底手車……12
夜的郊野……14
江邊景色……15
過洞庭湖……20
宿上封寺……24
詠物……26
動力……28
觀舞……30
聽歌……32
盲樂師……34
雙死……38
饑饉之年……45
冤抑……53
第六更……56

囑咐……62
關山月……65
復堤……67
七月九日……72
入波濤洶翻……74
天長節……77
擬語……83
戰歌……84
悼國殤……85
盧溝曉月……86

印付題記……97

2

新詩散議

(代序)

一

讀詩，想詩，觀摩詩底理論，成爲個人底一種癖好，寫詩也曾爲，仍爲，將爲個人底一種工作。爲什麼有些詩讀後可以被掀起熱烈的情緒而與作者共鳴？另一些，則讀後必需繼以艱苦的思索，或思索而仍無所得？在這樣的時代，應該寫哪一種的詩篇？很久以前，就預備寫定我底系統的意見，但是由於服務的忙碌，我沒有多少暇豫。這裏我祇把那些意見擇要地寫出一部份來題作「新詩散議」，願能就正於高明。

二

論詩底起源，科學底探討，告訴我們：以動作表現情緒的是舞蹈，以聲調表現情緒的是音樂，以文字語言表現情緒的那是詩歌；唯其所表現的情緒，是比較上不甚平凡的情緒，所以舞蹈異於勞作，音樂異於號呼，詩歌也異於敘議。

因爲情緒是生命底激流，抑且是生活底漣漪。假定你

承認「生活之目的，在增進全體人類之生活；生命之意義，在創造宇宙繼起之生命」這種人生觀時，你便也應該相信，作爲情緒之文字語言的表現者，詩歌，也應該有「增進全體人類之生活」與「創造宇宙繼起之生命」的意思表示！否則，你以文字語言所表現的情緒，卽使是美妙的表現，精當的表現，最藝術的表現，那祇是「小我的」表現，應該留着，供給你自我底陶醉之源泉，而不必發表。

三

論詩底目的，和一切藝術底目的一般，雖在作者自身未必先有自覺而握筆；都是從批評者底制斷上，分成「言志」與「載道」的兩派。

「小我的」表現，是「言志的」，而「載道的」是「大我的」表現。

因爲作者自身未必先有自覺，都是基依於情緒底衝動，而發洩爲自然的表現，所以高尙而偉大的藝術品之第一要素爲「眞」。唯其眞，所以不發表時，可以供給自我陶醉之源泉；發表後，可以引起他人陶醉地共鳴，也許因爲有引起他人陶醉地共鳴這效果，逐漸由於他人底督促，或自我底鼓舞，把內容從小我的而逐漸轉變爲大我的，於是逐漸有了「增進全體人類之生活，創造宇宙繼起之生命」

2

的意思表示，而逐漸有了「載道的」藝術。所以高尙而偉大的藝術品之第二要素爲「善」。

在人類生活陷於艱苦，宇宙生命失其光輝的時代，如果你有向上的，積極的志趣，是不是應該擴大你底視野，增强你底動機，從小我的表現進展而爲大我的表現？就是說：時代需要載道的藝術迫切於言志的藝術！

因此，我覺得詩人們，和一切的藝術家們一般，應該有一種自覺，使得你所表現的情緒，是比較離開小我的情緒！

四

論詩底手段，你爲要供給自我陶醉底源泉，所以本能地要求一種最美妙與最精當的方法來表現你底情緒；同時他人爲要從你底表現，獲得陶醉的源泉而引起共鳴，所以也要求一種最美妙與最精當的方法來表現你底情緒，因此你自覺地，半自覺地，或不自覺地企求這最美妙與最精當的方法，於是使一切高尙而偉大的藝術品，以「美」爲第三要素！

所謂美，在內容上，有陽剛的美與陰柔的美底分別，一則是直線的，一則是弧線的與曲線的。前者訴之於直覺，而後者往往訴之於幻覺。唯其是直覺的，所以是雄渾

的，偉大的，強烈的，明朗的；唯其是幻覺的，所以是纖麗的，精深的，綿綿的，飄渺的。表現大我的情緒，適用前者；雖然後者也未嘗不可運用。

在形式上，美又有整齊和諧，與斷殘抽握的分別 一則適應陽剛的內容，一則適應陰柔的內容。而二者各自成其為「美」。因為整齊和諧，比較地容易記憶，容易激動，所以也比較地強有力，適用於表現大我的情緒。

五

論詩底發展，因為舊詩底「漫興」「即事」底過於虛偽；「懷古」「悲秋」底過於陳腐，「翡翠衾寒」，「鴛鴦瓦冷」底過於空誕，（雖有纖麗的詞藻）總是失去了「真」，所以自然而然地有求真底要求；也自然而然地有「新詩」底蛻變！我們今日不能否認舊詩為高尚偉大的藝術品者，那些詩，定是真的詩；同樣，我們今日不能承認新詩為高尚偉大的藝術品者，那些詩，也定不是真的詩！

真的要素，否定了舊詩底命運！

六

美的要素，同樣，否定了自由詩底命運！（雖然在一些特殊的場合，自由詩自還有他底前途）

4

因爲自由詩時常像是散文底分行，在形式上失去了整齊和諧的美，同時自由詩時常是情緒底舖排，而不是情緒底節奏，抑且在形式上卽使斷殘排列，仍然絲毫不覺其爲美。因此，自然而然地有求美底要求，也自然而然地有「格律詩」底出現與發展！

但是過份注重與追求格律的結果，卽使具足了美的要素，有時又喪失了眞的要素；所以又自然而然的有了「以眞的內容，與美的形式，來表現情緒的」詩底要求——

七

至於偏重「感覺價值」，認爲「每一所見所聞所觸所嗅，都有他底意義，而以說明那些意義爲詩人責任」「如果當一官能底語言不足以傳達他底全部意義，卽利用另一官能底語言」之「意象詩」，卽使具足眞與美的要素，因爲是太小我的，所以也不爲時代所需要。

辯證地觀察，從自由詩（正）到格律詩（反），以爲合理的發展實爲意象詩（合）者，我們不能接受這種觀察底意見。同時在「人類生活陷於艱苦，宇宙生命失其光輝」的時代中，我們尤其不應接受那種以官能享樂感覺豐富爲主體的意象詩，卽使他是眞的美的，卽使他是現代的，卽使他是純詩的！

5

八

因爲我們要求善！我們要求有大我的表現，與載道的情緒！

因爲現代社會底發展趨勢，也許是錯誤的，消沉的，墮落的；我們不能以「現代的」作爲「止於至善」的！我們進而要匡救「現代社會」底「錯誤消沉與墮落」的「發展趨勢」！

因爲純詩的也許不是大眾的！任何讀者不願意讀詩而更須思索詩；尤其不歡喜那讀後思索而仍不得其解的詩；何況是大眾的讀者？如果寫詩而需要註解，則何不乾脆地去寫條暢的散文？如果寫詩而祇是陶醉自我，則艱澀的長吉底詩篇，應永儲於奚奴底錦囊；乃至享樂的感覺，其感覺應即是詩，又何需表現之於文字語言？

所以作爲辯證的發展，由自由詩而格律詩，而發展到「以眞的內容，與美的形式，來表現善的情緒」的這種詩，應該是時代所極需要的詩，抑且是大眾所能接受的詩！這種詩，自有他底發皇光大的前途！也該有他底高尙偉大的成就!!

山青詩草

無譜之曲

信口開河地唱歌，唱我自己底歌，
我唱千遍萬遍，唱不出相同的一個；
我祇是唱呀唱地唱出我底憤怒悲傷和快樂，
在我看來，每一個調子，都是不朽的創作！

我唱，高聲低聲地唱，放出我粗爽的歌喉，
我唱，忽快忽慢地唱，按着那天然的節奏，
暴雨颶風驟然降臨，夾着霹靂的雷聲；
一脈清泉，潺湲地，潺湲地，在山中流溅；
無羈的奔馬，大道上，踏出急亂的蹄音；
銅鼓緊敲，大隊的戰士們向前方飛跑；
夜半鐘聲，呼應着力竭聲嘶的，哀哭的女人，
一會兒寂滅了，一會兒又接起暫時中斷的音絪；
我一口氣唱一個音符，又或唱完了全部的音符；
有時自己聽不出，又有時震破了自己底耳鼓。
聽見的人都罵我瘋狂，便瘋狂了又待何妨？
你們不懂呀！這是我流露眞情的無譜之曲！

信口開河地唱歌，唱我自己底歌，

我唱千遍萬遍，唱不出相同的一個。

眼前的境界，腦底的幻痕，都是我歌唱的題材，
我快慢高低地唱去，唱我這無譜之曲。
現實隨着想像在轉變着，轉變着在，
歌聲正牽引視覺遊歷到醒後的夢中來：
一霎時火山爆飛，大地震裂，驚心動魄；
偉烈的火燄，衝破了中酒酡顏的長天，
鯨鯢在海上騰翻，獅虎在林中搏戰；
月光如慈母底笑顏，在輕吻孤塚上的衰草；
秋柳枝頭的老知了，淒涼地哭訴着哀怨；
潦倒的英雄，水盡山窮，在痛飲杯酒一聲聲長嘯。
被自己底歌聲感動，我真真地便要瘋狂了！
你們不懂呀！這是我流露真情的無譜之曲！

信口開河地唱歌，唱我自己底歌，
我唱千遍萬遍，唱不出相同的一個！

我不是音樂家，但我菲薄多少音樂家，
我不擅長音樂，但我總懂得音樂底真價。
我不拉梵娥鈴，不彈七絃琴，我祇是無意識地唱，

8

祇要不斷了呼吸，不啞了喉嚨，我總得無意識地唱，
盡性盡情地唱呀，我自己歌唱，自己欣賞。
像奏凱歸來，歡呼聲中，我哈哈狂笑，
像死了戀者，看物在人亡，我哀哀痛哭；
自熱的眼淚淌到嘴邊，我便用舌頭捲舐，
我唱了自信自滿，我更為自己驕傲，
我有悲多汶譜出月光曲那樣地歡喜！
即使瘋狂了，我定還得意洋洋地唱去！
你們不懂呀！這是我流露真情的無譜之曲！

在我看來，每一個調子，都是不朽的創作！
我祇是唱呀唱地唱出我底憤怒悲傷和快樂！
我唱千遍萬遍，唱不出相同的一個，
信口開河地唱歌，唱我自己底歌。

9

詩　　人

詩人並非神聖，僅有寫其所要寫的才能，
他寫出羣衆底血和淚，也寫他醒時的夢。

他能夠預知，而且解釋未來的時代，
似臨晚的鵪鴣啼急，告人風雨欲來。

他有時厭惡，咀咒，破壞現階段的這世界，
振筆如飛，長歌當哭，寫盡他憤懣的心懷。

鬱悒時，一陣暴雨，他便傾盆地流瀉，
寫成後，歘然，一片蔚藍晴霽的長天。

10

愁之浪

這洶湧的，瘋狂似的，愁之浪呀！
又蕩近，蕩近我底身旁了。
我剛纔離去了愁船，那沉沒的孤帆，
立在這邊岸上。

岸上，沒有百仞的高牆，經不住狂濤底沖蕩，
堤块土崩，我便又落下在汪洋，
被狂濤捲向中央，中央有沉沒的孤帆，
這愁之浪喲！

我隨着狂濤急奔，我有時力竭將沉，
勇猛地泅水，掙扎着，推開了浪層，一層，一層，
尋着了一方礁石，
我纔暫且存身。

暫且存身——
又蕩近，蕩近我的身旁了！
這洶湧的，瘋狂似的，愁之浪呀！
滚滚的水花，又打濕了我底衣裳了！

秋 神 底 手 車

窗靜中我聽見嘶哩嘩啦的聲音，

秋神底手車，推過我兀坐的窗前；

我瞑目似見那寡情多厲的的精靈，

他驚得葉落繽紛，正疾行如脫箭。

　那車聲有時是幽微清淺，

　又絕塵奔駛，聽輾動如雷；

　憂鬱的人們，更難展歡顏，

　喜悅的，不免忽湧起酸悲。

一夜清輝玉階，伊將微覺着衣單，

秋神底手車，推過伊落寞的枕邊；

縱使伊惦念不盡伊深愛的情郎，

睡夢裏還在噓寒問暖，愁鎖眉尖。

　那車聲有時是幽微清淺，

　又絕塵奔駛，聽輾動如雷；

　憂鬱的人們，更難展歡顏，

　喜悅的，不免忽湧起酸悲。

何故天涯遊子，多年仍不見歸還？

12

秋神底手車，推過了父母的心田；
眼見一片草原，又早經變得枯黃，
老眼婆娑，欲一看我肥瘦之容顏。
　那車聲有時是幽微清淺，
　又艴嘷奔馳，聽輾動如雷；
　憂鬱的人們，更難展歡顏，
　喜悅的，不免忽湧起酸悲。

Envoy

早經是露冷霜濃，令人積縣惄惆，
秋神底手車，推遍了高逈的闊大。
喜悅的，不免忽湧起酸悲，
憂鬱的人們，更難展歡顏。

13

夜的郊野

是彗星飛墮？

不，那是市廛的燈火！

炎熱的長夏，晚來竟忽似初秋，

白雲在天宇遨遊。

夜的郊野是水一般的清冷，

山中時時有瀑布似的松聲，

映照着的，雖還有惺忪的月光，

平地崗巒，混合成海樣的深廣。

蛙，閣閣地哀悼芳春之消逝，

螻蛄却閒吟晚天的蕭爽；

鄰犬靜坐在門前守望，

機警地偵察一切的聲響。

偶然吹過了斷續的梵鐘，

我底情緒，便隨那音波飄動，

月兒高了，風，又緊，

睡到床上，我永夜清醒。

江邊景色

一

隨着淸風，

應和着澎湃的洪濤拍岸，

播送着，這裏那裏，鋸木的謳啞；

四個人一羣，分立在木材底兩旁，

拉扯着笨重的大鋸，來往，

來往，用襤褸的襟袖，時常

揩去額頭臉上的熱汗。

就這樣，他們鋸去了，鋸完了，

他們所能享有的歲月，

再讓子姪們接着往下幹。

二

江灘，陳列着一排排，一堆堆的木材，

富戶的廠主，時常要來檢閱，

瞇着眼，含着笑，挺着肚子，

像軍官檢閱他們底部隊。

有無數的茅蓬，都分散在適當的

地方，像戰場上防守的崗位，

有無數的守望者，受僱用，雞栖在
盛夏底酷熱，和嚴冬底苦寒中；
一世忠誠，從未含糊他們底職務！

三

巡迴着江岸，有時也搖櫓
向江心；漁戶們駕着小船，
撒網；全家底食糧，寄托在
每天每夜的辛苦，和大魚小魚底
捕獲。——從一聲長嘆：和一陣
用力地向前運趕，迎着飛濺的浪花，
你可以看出，每次，他們提起空網的
愁苦和憤懣，又或遇到驟來的風險，
首先，是他們漁夫漁婦，
落下江中，和魚類周旋。

四

那些渡客的小划子，
駕着雙槳，或是扯起風帆；
常被江潮，打濕了船頭船尾，
被浪屑掩蔽了船舷。

16

那些乘客，不是不知道危險，
羨慕着輪渡底安全；
祇是沒有多錢，寧可靜待着——
有朝一日，船底子朝天。
白鷗陣陣，會飛翔，往還；
致祭着它們底哀奠。

五

輪渡穿梭般往來兩岸，
一聲汽笛，一陣白烟吹散；
那樣輕快地忙碌着，
從清晨到夜半。不知多少
客人，是那樣龐雜地擁擠着，
大部份是爲了享樂。

六

江面，停泊着各國底軍艦
你聽悽怛的軍笳，看閃爍的
探照之光線，你當顫慄，嗟呀，
爲了驚嘆他們底威儀。

七

水兵們吻膩了舞女底紅唇，
也喝夠了芳醪的美酒，
帶着疲倦，攙扶着侶伴，
三三兩兩，在江邊躑躅。
遇見賣弄風情的女人，
餘勇可賈地，會輕颺歪帽，招手
嘩笑；遇見中國的苦力，
觸犯了他們，會一腳踢下江頭，
還不准別人搭救。

八

爲了防禦江水底汎濫，
早準備着加高堤岸，
有千萬服役的人工，
在挑土，塡方，打夯；
像防禦我們底仇讐，
他們忘了飢和渴，
也不管暖和寒；
望着緊壓而高障的

18

工毆，他們有無限的慰安。

九

祇浩淼的波濤，

千古東流，遠與長天啣合，

星辰，日，月，在轉換，經過；

讓生涯隨着逝水，

感情，偕鷗鷺底白翼飄飛。

過洞庭湖

先看見萬家鱗瓦的市廛，

是楚湘樞鈕的大城岳陽。

岳陽樓巍峨地聳立在江邊，

看慣了古今過往的帆檣；

旅人也從那形勝，追懷着

多少詩人底俊句，和若干

史籍底遺聞，陡生了遐想。

但振奮我底精神，和激盪

熱望的，是前面八百里的洞庭；

遠矚着一片空濛與遼闊，

我在懊惱着航行底遲緩。

驟覺添一番秋天的意味，

微雨飄灑着濡濕襟衫；

爲眺望洞庭底臨近，臨近，

我獨自在那甲板上逡巡。

幾座雄渾而蒼翠的峯頂，

踏着浩淼的波濤走來，

20

枒杈的樹木是老者底杖策，
抑是風動少女底衣帶？
更有雲霧氤氳地渺茫，
我疑是船在駛進仙鄉！
祇脚下涌騰的水花，和船後
掀起的浪條，告訴我現在
已投入洞庭底懷抱，周遭
更加看不見邊岸，也沒有
鳥鷗底飛翔，好容易纔見，
一兩隻重載的貨船，扯着
白鷗翅膀似的幾羽布帆。
你洞庭如此雄偉和深廣！
你，揚子江底庫房，吸取
江流底氾濫，也調劑亢旱，
讓環湖千萬的田畝，生長
食糧，使千萬的人口安康！
你更有美麗的史蹟，豐潤了
民族底文化！於是我看見
熙熙攘攘，湖畔農民底
勞作；也想起飄飄蕩蕩，
一簇的蘭旗桂槳，一隊的

丁東珮環，和一派的笙簫
吹奏古樂章，瞭亮而悠揚，
是湘君底儀仗，湧現水中央？
還有含冤遺謗，那古楚底
大夫，在曳杖行吟。憂鬱
籠罩着眉目，傷感嗚咽了
嘯唱，像這苦雨淒風
壓抑着湖光，激成詩響。
如今憂鬱和傷感，也積聚在
我底眉尖與心上。國土
正被侵蝕，像湖面底逐漸
殘缺，失去了，完整的邊疆；
國人正受磨難，像湖水底
不能調勻，免不了水旱的
災荒！國族是同樣的飄搖，
在這愈吹愈緊的風聲
和這愈落愈密的雨勢裏。
幾時你纔能光明燦爛？
又纔能健壯安祥？——淺灘上
雨打風吹的蘆葦，卑順地
但也是反抗地，一陣陣傳來

22

沉着的喊嚷，好像千萬的

關外健兒，隱藏在青紗帳。

宿上封寺

迴顧一幅燦爛地遼闊：

翠綠的田疇，隔赭赤的土崗，

藍天襯托下，有白雲底覆蓋，

在凝結的晚霞和深沉的落照裏，

隱約地蜿蜒着湘江如帶。

漸雲霧遮藏了踏過的崗嶺，

更向雲霧裏蹀躞盤旋的

山路；黝黯與蒼茫，祇看淸

咫尺的踱步。過雄踞的南天門，

凌祝融峯底絕頂，雨絲濕透了

衣襟，霧氣向週身襲進，

這不就是上詣天庭的途徑？

猜翻過山頭，達个宵宿處，

問轎夫却還有五七里路程！

五千尺下街市，當遍燃明燈。

怕山風吹轎落嶮巇的屑壑，

喘氣步行，領略了轎夫們底

辛苦，伕開譚破除了寂寞。

驀聽有一二應聲的犬吠，

24

知前面遂有人間的樓閣。
終於到古老雙閉的寺門前，
一陣猛敲，驚醒了安眠的
守門僧，起迎不速的來客；
門裏藏繚繞的煙氣氤氳。
從滴答的簷溜中走進石屋，
疲乏裏忙着安排衾枕。
候破曉鷄鳴，攀登觀日臺，
看旭日湧騰，上海濤雲陣。

詠　　物

臭蟲（刺貪官污吏）

到處地鑽營，
向肥厚炙熱爬行；
站定了腳步，
把利喙刺進血肉，
漸長得飽滿，
藏身在安穩地方，
待消化贓私，
準備作再度窺伺。
　拚半晌無眠，
　還能把醜類除殲；
　恨人間充塞，
　你同輩如何除得？

蚊蚋（刺土豪劣紳）

一陣地群聚，
飛繞在昏黃黑點，

26

揮去又擠來，
賣弄着身輕翅快，
趁方便吮吸，
儼然具富厚容儀，
充滿惡水缸，
活躍着孑孓千萬！
　燒一盆綠艾，
　頃刻撑出窗門外；
　祇盤旋鄉里，
　你同類如何絕迹？

動　　力

一

自從參閱了機關，
力底搏動的印象，
歷歷地現在眼前，
深深地鑴入心上。

這些實無有詩意，
祇有雄偉的聲音，
祇有敏捷的轉移，
造成活潑的憧憬。

在那裏如登天宇，
雷聲震兩耳欲聾，
在那時心靈驚悸，
絕無少許的從容。

機械與血汗交流，
豪富與貧窮分有！

28

二

那裏面消逝生命，
消逝生命底所有，
雖然創造了什麼，
喫一飽都不能夠！

任人榨取那利益，
他們已住慣工廠，
伴着笨重的機器，
牧人般耐守馴羊。

當然這毫無詩意，
但這刺激我情感，
黯自神馳欲飲泣，
爲生活寧遭磨難！

分明是地獄一般，
何時變作了天堂？

觀　　舞

耿耿的星河，黯澹的天，
寂寂的屏息，皎皎的月圓。
閃閃的電光，飄颻的人，
踏踏的節奏，輕輕的樂聲。

樂聲底輕輕，舞態底翩翩，
膩手底揚揚，纖足底停停，
停停的纖足，揚揚的膩手，
嫋嫋的腰肢，團團的步走。

步走團團；腰肢嫋嫋，
珠冠是輝煌，紗衫是綽約。
綽綽約約，輝輝煌煌，
春融融嬌面，醉夢夢人寰。
約約綽綽，煌煌輝輝，
雜亂亂貫穿，忒楞楞飛迴。

飛一飛一飛；舞一舞一舞；
天沉沉，星眯眯，月羞羞，風拂拂；

飛一飛一飛；舞一舞一舞；

樂聲止，鼓掌碎，仙人歸，歸何處？

歸腦底，影歷歷；歸眼中，影幢幢；

裊裊餘音永清新，隱隱嬌容久常紅。

聽　　歌

一串輕敲重敲的檀板，清脆地
響在廣場上羣衆底中間；夾着
一種沉着豪邁的聲音，使羣衆
靜默，又有時奮興。一團濃黑的
影。我坐在車上被迫着走下
車來，一時的好奇心要看個究竟。
我向人叢裏擠去，湧到中間。
一個老年的歌者，迎着月色，
頭髮顯得花白，面容也覺得
顦顇，衣服更是破爛骯髒。
但是他底口齒並沒有衰頹，
精神是那樣飽滿，兩眼在黯處
放光。姿態是那樣靈活，用手
和臂膀，指東畫西，幫着表示
歌唱的語氣。是流落江南，少陵
在桃花時節重逢的李龜年？或許是
桃花扇裏慷慨潑剌的柳敬亭出現？
每一字，每一句，帶着無限的情感。
英雄底成敗，體味着國族底興亡，

32

兒女底離合，感染着情緒底悲歡；
使羣衆欣羨，或是使羣衆發傷；
又或使恍惚親歷當時的情境。
憑那聲調底高低快慢，也正是
美妙的樂章；不但使羣衆讚賞，
更使他自已陶醉；把生命力溶化
在誦吟的俄頃。唱完每一個片段，
羣衆回歸現實，從夢幻蘇醒，
繚繞的餘音，依舊盪漾着憧憬，
纔覺有露底侵潤，夜，已是
深沉；高爽的天空，好一片月明。

盲　樂　師

一

繁華熱鬧的城市裏有過這樣一位盲樂師，
他走路艱難，兩眼闔上，看到的祇是茫茫地黑黯，
走東到西，餐風飲雨，他有時三兩天喫不着一口稀飯，
他懷抱三絃，左右兩手上下按彈，暫忘了苦痛之事。
年紀大了，苦痛的遭逢逼着他困窮，催着他衰死，
他戀念着手指彈出來的世界，他還是苟活偷生，
受多少吆喝與打罵，他祇得嘻笑着按戸放絃聲。
繁華熱鬧的城市裏便常見這位盲樂師。

他夜裏隨處安身，放下那肩頭的襯褥，
是一張狗皮，半床夾被，三兩件衣裳，一團破布。
長調新翻，自家欣賞，他高高低低地按彈，
好似餐飯，可以搪得飢餓；似衣裳，可以擋得寒涼。
在他黑黯着眼前，幻化着諸般的情境，
他靜默地兀坐着，咀嚼那裊裊的餘音；
過去的離合悲歡，潮汐般，在心頭漲落，
他終是寧貼地徐度他那孤苦的生活。

34

二

繁華喧鬧的城市裏也有過這樣的一位大鼓孃，
她生有美秀的姿顏，比玉還潔白，比花更鮮妍。
她一手連敲着皮鼓，一手叮叮噹噹緊打着銅片；
她進退作勢，態度從容，人叢中，高壇上，曼聲歌唱，
歌唱着古代的英雄美人，有的是豪壯，有的嫵婉。
聽衆齊被感動，喊破喉嚨叫好，鼓掌如雷，
有多少公子王孫都被迷戀着如狂似醉。
繁華喧鬧的城市裏誰不認識這位大鼓孃？

她幼年父母雙亡，零仃孤苦，却又給匪徒拐騙，
流落在他鄉各縣，經歷了數不清的風險；
如今是學藝已成，和她那假母，同闖江湖，
聲譽漸隆，有了她，猶過是一顆搖錢樹。
寶給那生張熟魏，她假母便預備待價而沽，
但她却屢次留難，百方趨避，守身如玉。
她祇願孤獨終身，聚幾個錢財，留一個自由人，
却有時脈脈地悲怨如焚，哽咽着徐展歌脣。

三

「既說你流浪慣了，你不受拘束、不愛金錢，

35

我情願，把這悲怨的身體，嫁給你，和你那三弦！
有了你，那時我歌聲曼妙，便相得益彰，
讓我倆同在天涯淪落，——我唱，你彈！」
這大鼓孃偶然地和他會見在大街上，
聽了那淒楚的三弦，她大爲讚賞；
請他幫忙，她情願認他作丈夫，
凝視着躊躇的面目，她急待他底回復。

他靜默無言，漏出的兩行清淚，淌到嘴邊，
意外地一番感動，攪擾着他底心園；
——竟有人垂青眼愛慕我這老叫化？
——試聽那鶯囀的聲音，諒還是美貌的嬌娃！
他待想忘棄人世，但還膢眞情未死，
用破袖擦乾眼淚，他表白着自己底心思：
「我祇好隨你同去，但我們要拜作父女，
我拚着彈破十指，報答你此番的知遇！」

四

繁華喧鬧的城市裏從此便常見他們倆，
那位沉默的盲樂師，和這位秀美的大鼓孃。
他捻着，挑着，撥着，劃着絃子，又蟹爪似地上下按抹，

隨着歌聲底輕重疾徐，有時是激越，有時又溜滑；
歌聲弦響，合成了一片，聽的人都快要凝駭，
聽他們愈彈愈起勁，越唱越有精彩；
她粉面不改，愈顯紅白，淡染眉黛，輕溜眼波，
他卻正襟危坐，細弄那珠走玉盤，絲裊碧落。

他們倆聲名遠近流傳，座客常滿，徐度時光。
是喧天的砲火，遍地的虎狼，鬨散了綺麗的歌場。
自古紅顏多薄命，可憐嬌身與珠喉，同歸於盡，
祇賸那裂帛似的慘叫，常纏着她那義父底心靈。
他飲食不進，一連七天，續續地，彈出了滿懷的悲怨，
他爲她哀悼，也在爲自己哀悼，絃音欲絕，淚隙如泉。
看滿眼斷壁頹垣，屍叢中，橫添了這一位老盲，
繁華喧鬧的城市，曾幾何時，變作了沉寂淒涼。

雙　死

城南有一個窈窕的女郎，芸芳，
她眞是豔如桃李，又冷若冰霜。
四圍的鄰舍，早在嘖嘖地稱讚，
家中沒有別個，除了年老的爹孃。

沒有繼承的兒子，正看做掌上明珠，
到了上學的年齡，早送去學校讀書，
憑她那聰明的心性，她什麼都嫻熟，
看不起任何男子，她祇愛孤獨。

她全家住在那四象橋邊，
門前的細柳，縮住了縷縷的輕煙，
垂柳底長條低拂着漪漣的水面，
忽忽地過了新年，又快到春天。

年華消逝，不肯停留，她今年十九，
停針倦繡的時候，也常織就了春愁。
多餘的兩間家屋；自從張出了招租帖後；
有一家姓王的，便來租定了，不久。

王家祇一位寡婦，她有個遺孤，名叫玉樹。
兩人底生計全仗着開木舖的五叔。
像他那俊俏的面目，人寰中原也慣見，
他却是秉性溫柔，勤苦地飽讀了書卷。

那天匆匆地遇見，又默默地走開，
他看見房主女兒那曼妙的身材；
她也曾幾次回眸，似忽垂青睞，
淡淡的紅暈，暈紅了乳白的雙腮。

他最初好像是漠不關心，
午夜夢回，却又湧動着清新的憧憬；
明朝見了，相對無言，她又是冰霜般冷靜，
他暗自思量：怎昨天有意，今日又無情？

門前的春柳，終茁了仰慕的愛芽，
繁茂的枝頭，更放散了輕颸的情花；
離了她，他覺得淒涼落寞，飯都喫不下，
有了他，她纔省識了自己將是幸福無涯。

雙雙的燕子在花上徘徊，

東風吹，柳絮飛；樑間舊壘，穩睡了嬿雛幾對，
對對的蝶兒在草上翺翔，
東風軟，柳絲長；燦爛的花圃，散佈着郁的甜香。

眼見這撩人春景，
油油地引動了春情；
靜靜的院落，他和她，正在偷偷地抱吻，
沉沉地陶醉了，緊緊地難捨離分。

她爸爸巧巧看見，可厭！就在那玫瑰花前，
似玫瑰花針刺破，刺破他老朽的心尖；
（安寧的愛海驟起了風濤）恨極了，語如刀，
抱吻的情人兒女，像弱鼠遇到了強貓。

抓住了玉樹，他還要行兇，怒塡胸，不通融，
幸有隣居解勸，逐客令下，就祇好聽從：
「你畜生！引誘了我家黃花閨女！
一時三刻，你快些給我搬了出去！」

「快快地，你姓王的，給我搬去，滾開！
我家黃花閨女，不能沾惹你這個禍害！」

40

搬出去後，這聲調還老在耳邊震響，
離前竟未容相見，眼看着紗窗，他不住思量

王家也曾經央媒說合，是寡母慈腸，
她老朽的爸爸却不愛貧窮的東床；
媒人底回復，每次都祇是使他失望，
多情的玉樹，漸瘦削肌體，猛覺衣寬。

往日的情懷，祇賸下悽悲的追悔，
似春夢醒來，幸福隨夢境飄飛；
——盟誓分明，光景如昨，但平添障礙！
——早知難生情菓，情苗也不應培栽！

——她意志堅强，敵不過更堅强的習俗！
——她性情柔順，積威之下，她定將屈服！
——如今隔絕在不同的世界，
——我祇是癡騃麻木，行走的屍骸！

他時常訪探他情人底門外，
終還想會她一面，傾吐這別後的情懷；
門外的柳樹，早抽成長葉，飛盡輕花，

41

侯門似海，來往徘徊，他空自嗟呀！

他又想每晚夢見他久別的情人，
但夢神也是殘酷，終不讓一度相逢；
入夢也可以告訴他近時的愁苦！
有時是終夜失眠；有時又夢中痛哭。

——她脆弱的羔羊，也許在供人屠宰，
——她爸爸一心要持向富豪出賣！
——難道竟置之度外，那些往日的誓盟？
——相見艱難，倘遭遺失，也難通音訊。

天外飛來，是她底一封信函，
「請在四象橋頭相會，盂蘭盆會的晚上；
有多少別緒愁懷，便能詳盡地傾談。」
他病裏不成人樣，震顫，但歡慰如狂。

星月黯淡，燈火微茫的黃昏時候，
他早匆匆地來到那四象橋頭；
他細想應該從何說起？在重逢以後，
不知她比前健壯？或是比前消瘦？

42

橋頭的車如流水，人似寒鴉，
等了許久的時光，怎還不見她？
——莫非是故意戲弄，存心欺詐？
——也許是忽遇留難，中途變卦！

怎麼還不見她？直等了許久的時光，
博大的人寰，穿罩了黑夜的衣裳。
——莫非是臥床不起，忽受風寒？
——也許是路途迷失，認錯方向！

又等了許久時光，他終竟和她相見，
認清她異常蒼白，喪失了往日的紅顏。
未曾說話，先慌張緊握了雙手；終默默無言，
兩行熱淚，兩人皆淌到腮邊，流瀉清泉。

循着河沿走去，是一條粗石的仄路，
對岸的一排柳樹，黝黯中黑影模糊。
踱步到幽僻的路邊，他們並肩地立住，
還疑是夢中，他們纔細把離情傾訴。

默默地一時擁抱，一時吻吮，都好似瘋狂，

黯澹的星光月色，也更加映照得悽惶；
西風正吹成料峭，秋蟲在草際歌唱，
盡量地陶醉，他們早把這世界遺忘。

她含淚取出絲巾，他含淚把它繫上，
繫上了她底右手，他底左手，免得再行離散。
撲通地一聲，河水中忽似魚龍搏戰，
盂蘭盆會的僧伽，在虔誠地誦持梵懺。

饑饉之年

連年的兵馬，踩躪了多少的農田，
辛苦的耕耘，無多有少還能供應生存，
一時又遭逢浩淼的洪水瀰天，
被災的人民竟無地存身。

高據上阜，或是幸而爬上樹，
無食又無衣，到底挨不了幾時，
眼望着一片新禾，一霎時盡被淹沒，
誰也不能不痛哭，邃到處有漂泊的新屍。

僥倖留下了家小，保全着性命，
有地難耕，又怎能往下過活？
碰着義賑的憐憫，
勉強把饑寒忘却。

義賑灑不到所有被災的地方，
或雖到達而衣食不敷分配，
餓得發慌，凍得發顫，
活人也竟被野狗嚙碎。

無爲縣屬，開城橋區，
花姓人家逃出了夫妻兒女底性命，
受盡危險，費盡心機，
却沒能留下生活的供給。

幸還有城裏的親朋，
一兩升白米，還可以時常借貸，
或是扔給一兩塊洋錢，上門
忍受着一番辱罵，搪塞着一些詰責。

他急着找尋工作，
向人家哀求，在人前流淚，
不管工價底低落，
走遍鄉城，更垂頭喪氣地走回。

漸迎眼有明媚的春光，把嚴寒度過，
借貸艱難，親朋也多喫盡了陳糧，
雖或有挑埂的機會，幫工的處所，
血汗的代價，塞不飽全家的饑腸。

聽說遠處有較高的工價，

喜出望外，他束緊了腰帶前往，
吩咐妻房：「且忍耐着一兩天的餓罷！
等我回來，準能夠大家醉飽一場！」

餘存的糧食，原來也無多，
喫盡了他還在遠方工作，可憐
一天又一天，兒女們漸難挨那飢餓！
牽着娘底衣裳，一個個愁眉淚眼。

娘自己底飢餓，日夜總還能忍耐，
看着兒女的光景，可是痛徹了心肝；
忽然想起隔壁的李大爺是昨夜歸來，
試着去問李嫂，看可能借些餘糧？

李大爺原來也是個莊稼漢，
這回幫工去來，使盡氣力，總換來四升白米，
幸喜還有不少的存餘，便給了升半，
李嫂很知道他家景象的慘悽。

捧着米回家，看兒女掛着眼淚笑，
忙着給娘在門外的河裏取水，

好趕快地洗淘，早一刻兒喫飽。
便只煮了半升的稀粥，留下一升的寶貝。

六隻眼睛，各望着熱氣蒸發的鍋灶，
一陣的穀香，未饜飢腸，早覺得週身舒服。
猛然間門兒呀地一響，闖進了李嫂，
討回了米，連鍋捧去了粥，賸他們母子哀哭。

原來李大爺回家，恰問起還賸多少米，
同情的李嫂，悽然把實情訴說：
「隔壁的花家大嫂，餓得有氣無力地，
兒女也哭哭啼啼，眞不忍心不借啊，我！

「我便借給他們一升半，說明了非還不可，
想我們還有餘糧夠兩餐，
明兒你做工回來，粥總有得喝！
我們總算還不像人家的艱難！」

「不像人家的艱難？你這臭婆娘！
忘了我沒有工做的時光？不也是蓋起鍋？
揉着肚皮挨餓？你這渾蛋！

48

明兒沒的吹啦，咱們可又怎麼着？

「你敢說我明兒還有工可做？
就是那四升白米，你知道我費了多少氣力？
不知好歹的東西，你這笨貨！
這年頭兒誰肯借給我？你？」

他說：「這年頭兒顧不得了
不相干的別人底死活！
你去討回來！趁早！
你非去討它回來不可！」

看着李嫂趦趄地神情，
李大爺扯直脖子又開口罵；
「你這害人精！你痰迷了心?!
討不回升半米來，你可是別回家！」

望着李嫂底背影，兒女在嚎啕大哭，
「幹嗎搶去我們底東西呀?!」
娘有什麼可說呢！亂箭攢心地愁苦！
「我底媽媽！你快給我們奪下！」

她一時計上心來，向門前走去，
把河岸的濕泥，搓成些餅兒，圓，扁，
李嫂送還了空鍋，恰好貼滿在鍋裏，
橫豎是小孩子，容易去哄騙。

說：「這些餅是玉蜀黍麵！」
教兒女們在灶下加些柴火。
「那中間還有白糖的餡！」
引得兒女們心中好不快樂！

她乘這當兒溜進房，
拾掇了身上穿的破爛的衣服，
再忙着掛起長繩在中樑，
像是很糊塗，又像是很清楚。

一陣的眼淚，打從心坎裏淌，
望着迢遠的地方，拜了又拜。
「李家也許會賞給孩子幾口飯！
你，你若回來，可莫要怪！」

橫下心兒，把牙齦咬緊，

50

站上板凳，把頸頭套進了繩環，
她忙把板凳踏翻，使勁，
漸兩眼暴突，舌頭伸得怪長。

直到她丈夫回來，纔忍痛把她放下，
幾天的辛苦，賺的錢實在也有限，
他滿臉的疲倦，添上悲哀，沒說什麼話，
工價高的地方：窮少做多，落後爭前。

現在他們苦命的娘又死了！
乾脆地大家還是一路去罷！
兒女們當真肯把黃泥餅咬？
活着再別想掙那高工價！

他把自己底兒女們推下水，
無情的水流，祇是砰然作響，
他自己又瘋顛地猛向河床墜。
成群的屍身，早集會在淺灘。

飢餓威脅着，死給人們憧憬，
到處還遭逢不斷的災荒；

51

草根樹皮早都被喫盡，

臌黃泥嚥也嚥不下肚腸！

52

寃　抑

白濛濛的煙霧裝點了江畔的幽寒，
亂騰騰的羣衆形成了都市的緊張，
晚來的燈火映照着憊疲的人面，
中間有兩個外國水兵底醜態顯得新鮮。

他們不知爲了什麼在變臉，
愈吵愈起勁到後來齊揮老拳；
你得知道，在江邊，脚下便是洶湧的波浪，
誰被捧下，恰給江豬子叨擾一頓晚餐。

他們扭着抱着，衣服也撕爛，
難解難分，眼望着就要滾下黃浦灘。
這時打東頭走來一個中國的男子，
工人模樣像沒有受過高等智識。

「當心！當心！差一點兒都是死！」
他說着，一面跑上前來勸止，
「大家站住，有話好說，喂，朋友，
「啊！你們原來多喝了一杯酒！」

「你是什麼東西？你支那狗！
「用不着你勸，老子們高興動手！」
說着的一個水兵，猛推了他一把，
他不及防備，跌在碼頭底下。

還好沒落下水去，他使勁爬，
待會兒他上來啦，依然勸他們別打架；
雖然他心裏難免有些兒怨憤，
他原諒他倆都是喝醉了的人們。

眼望着他倆還是打得很認眞，
那矮個兒剛爬起來忽又跌翻了身，
這高個兒眞狠，糊裏糊塗地趁勢一踢，
那矮子立時也就滾下了碼頭底。

這恰引起了工人跌痛了的記憶，
他毫不猶豫，就忙向碼頭下面走去，
他想把那個矮傢伙救將起來，
但岸上的見了却又以爲不應該。

祇見那高個兒追到他們倆的所在，

54

使勁把工人推下水裏——便這樣任情戕害！
對他那同伴不說什麼，反倒哈哈地狂笑，
不再交手，牽着濕漉漉的衣袖，便都走了！

那工人悽惶地叫了一叫，
接着，水裏湧起了幾個水泡，
料想沒有了誰敢再爲難，他們都佩有武器，
祇洶湧的波浪，不平地怒鳴冤抑。

郭六更

一更，

都市籠罩着黯澹的黄昏，

官僚走出了衙門，

商賈放下了賬簿，

學員扔去了課本；

用鴉片助長着精神，

把衣帽穿戴得齊整，

向酒館應酬着友朋，

矜持着上等人底身份。

在筵席上，

陳列着大盤小盌，

有數不清的珍饈，異饌，

珠圍翠繞，

身邊坐着妓院的妖嬈；

大麯，或是花雕，

直喝得東歪西倒。

二更，

56

夜色逐漸深沉，
暖閣裏高燃着明燈，
他們又在妓院裏相逢，
打麻將，推牌九，外帶着
從西洋學來的*Twenty one*；
贏着的笑容可掬，
輸了的，耳紅，面熱，心疼，
打算着，賣了家財翻本。

三更，
賭得更起勁，
妖嬈的娘兒們也更顯殷勤，
把桃腮多抹些胭脂，
杏臉，多塗些香粉，
施展出手段，
伺候得客人們，
顛倒在迷魂陣。

有贏了錢的，
儘在院裏徘徊
娘兒們也不讓他們走開，

夜靜，更深——
梆、梆、梆、梆，
拍、拍、拍、拍、拍，
一枕雙酣，
直睡到東方發白！

這是什麼年頭兒？
八國聯軍剛闖進了北京，
担了多少驚，愁，
出了多少賠償，纔恭送
他們退走，纔「聖駕回鑾」，
遍幽燕一團糜爛！

天亮，天津市街上，
猶有人敲着木梆子——
梆、梆、梆、梆、梆、梆，
拍、拍、拍、拍、拍、拍，
還高聲地喊唱：
「同胞們，還不醒嗎？」
「同胞們，還不醒醒嗎？」
也許有被那聲音喚醒的，

58

只落得哗罵一陣「瘋漢！」

春天，

他懷着希望：

像人們都已被他催喚了

起來，發奮圖强。

敲着梆，高聲喊唱。

駘蕩的東風吹着，

他覺得多時的辛苦，

結果是這樣美滿——

可惜是幻想！

夏天，

他更加憤懣

清早也躁得滿頭淌汗。

敲着梆，高聲喊唱，

走遍了天津底市街上。

人們起着他笑罵：

「瞧這更夫！多粗蠢！

誰曾見敲過六更？」

敲着梆，高聲喊唱，
過了蕭條的秋天，
又到了冬季的嚴寒，
雪花飛舞在他底身旁，
污舊的棉服上戴起孝衫，
冷風割裂着他底手指，
寒氣僵化着他底唇齒，
他掙扎着，掙扎着，脚步踉蹌，
還是敲着梆，還是高聲喊唱，
那模樣真像瘋狂。

官商士紳們，
何曾聽見過他底催喚？
便是全天津的居民，
又誰能知道他底憤懣？
覆巢下那有完卵？
雛燕向何處翱翔？
眼見得河山便要淪亡！
他更也顧不得風雨飢寒！

他不怕人們笑罵，

66

「還有什麼最後的話語，留寄
給你們家鄉的親戚，朋友，尤其是
你們底父——母——妻——子？」
「家庭，不放在我底心上，法官！」
老囚徒眼淚縱橫流滿在腮旁，
「可是，在監牢裏，囚徒們誰也吃不飽，
求您少把那囚粮裝進腰包！」
「胡說！該死！餓壞了值得個鳥，
幹嗎你們要滾進那座監牢？」

中年的囚徒，接着向法官聲訴：
「俺家裏不値得惦念，最好，也不讓
老母親，新媳婦兒知道。不過，我說，
監牢的[illegible]，也應該重行改造。
朝南沒有窗戶，朝北，窗多，
而且太大啦！風吹得咱們管咳嗽。」
「就算改造啦，你還想再住些日子嗎？
死在眼前，還要說這些費話！」

似很表同情監刑官殷殷垂問，
輪最後一個少年的，慷慨回答：

囑　　咐

黝黯的走道，觸鼻有腥臭的氣味，
祇一綫的微明從小天窗裏胡亂射入，
使囚徒感覺這其間猶在人世——
但腳下重鐐「索朗」「索朗」的聲響；
兩旁，荷槍實彈，有部隊底行進；
又威脅着他們對於人世的留戀。

一座小巧的聖堂，當中壁上
懸着一個十字架的地方，彷彿
有耶穌底聖靈，在那兒燦爛地放光。
一位嚴肅而純熟的，職業的教士，
在面向囚徒，致獻着例行的禱祝。
他們不知所云，祇隨着結束，喊一聲，
「阿們」；眼前憧憬着幾個親人。

腳下重鐐，「索朗朗」的聲響，作着
兩旁，實彈荷槍，那部隊底行進，
前面刑場，安排着三株絞樁。
似很表同情，監刑官殷殷垂問：

「還有什麽最後的話語，留寄
給你們家鄉的親戚，朋友，尤其是
你們底父——母——妻——子？」
「家庭，不放在我底心上，法官！」
老囚徒眼淚縱橫流滿在腮旁，
「可是，在監牢裏，囚徒們誰也吃不飽，
求您少把那囚粮裝進腰包！」
「胡說！該死！餓壞了值得個鳥，
幹嗎你們要滾進那座監牢？」

中年的囚徒，接着向法官聲訴：
「俺家裏不值得惦念，最好，也不讓
老母親，新媳婦兒知道。不過，我說，
監牢的[illegible]，也應該重行改造。
朝南沒有窗戶，朝北，窗多，
而且太大啦！風吹得咱們管咳嗦。」
「就算改造啦，你還想再住些日子嗎？
死在眼前，還要說這些費話！」

似很表同情監刑官殷殷垂問，
輪最後一個少年的，慷慨回答：

63

「您有空，最好屈駕去監牢視察。
囚徒，判罪，那活該；却是輪不到
當給那些看管的人們打罵！
罵呢，横豎塞住了耳朵不理；
打呀，那皮鞭木棍可不是玩兒的！
許多沒判死刑的，打死，讓他們
半夜，悄悄的，從狗洞裏，拖了出去；
不死，你看，我也是落了肉哇脫了皮！
因爲今後，還有許多人跟着
進去。祇這些永遠是值得査察！」

那一夜，滿天星斗，望着囚徒
嘆氣，三具化石，綁跪在寒風裏。

64

關 山 月

——從信仰生出力量——

一陣衝鋒，摧毀了一排敵人底
砲火；代價是橫豎躺在地上
那壯烈的，健兒底軀殼；該有愉悅的
精魂，留駐在克服後的失地上，隨着
朔漠裏萬葉飛舞的國徽而招展。
漸連夜吹飛吹遍了千里的莽原，
一層冰霰，和一堆棉絮似的雪花
給戰場蒙罩了一塊肅穆而整潔的
喪布，軍笳底悲鳴哀奠中，臨照着
一片清朗的月光，幽涼而慘澹，
混合着一番的敬重，一派的感傷。

從那些蒙古包底一星兒温暖中，攢聚了
耳朵和嘴唇，絮語着，密議着，幾許
傳聞的秘密。統帥底蒙難，使得
人人不自覺地引起一陣陣寒顫，

値得鼓舞歡欣的希冀，渙散
在那人人底意識間。陣湧的熱淚
滾落在人人底腮邊。人人是無言地
喟嘆，無言地對看，無言地撫摩着
槍桿和刀環。外面，前方，月光下
安紮着敵人底陣綫。防守和抗戰的
任務，更覺得艱苦！把老天徒喚。

隔了十幾夜，陣營裏連連響起
陣陣的春雷，是統帥脫險的呼喊，
到處轟傳，也到處掀起狂歡。
忙着把刺刀插上槍尖，把粗石
磨銳了刀鋒，更把手溜彈和炸彈
配備齊全，打算明天衝向前！
克服那些失地真易如翻掌！
月亮，印證着人人底自信和共信，
從凍結的雲塊裏，挺身出來凝望。

66

復　堤

前幾年揚子江底一回氾濫，
好像一列火車脫離了
軌道，一匹劣馬溜了韁；
把傷害留給都市，留給
村莊，也留在人人底心上。
而且去年的更加悲慘！
又崩潰了從來未曾崩潰的
堤防！挾着西部高原底
冰雪，捲着渾濁的泥沙，
和三峽嶙峋的岩石，浩蕩
奔放地，沖洗了多少田場，
淹沒了多少人畜和房產。
遍荊襄一片浩淼的汪洋，
膏腴的大地，縱橫着河床！

今年的春季，屢次暴風雨，
搖撼着樹木房屋的，雨絲
風片，和震閃的響雷迅電，
也搖撼震閃在人人底心裏！

恰桃汛高漲了沿江的水位，
又大汛將帶來普遍的恐懼！
除了防汛的工事，到處已
緊張，削裹重築着堤防！

從河南，從湖南，從四川，蘇，
皖，贛，徵集了十幾萬的
工伕，一大隊，一大車，一大船，
奔赴施工的各處段站。
有的父子相偕，夫婦
同來，還攜帶着幾個小孩——
家鄉早沒有他們底食糧。
有的衰老，有的孱弱，
但挑土擔方總還有力量！
自然，大部份都是少壯。
加上當地的工農羣衆，
爲了切身的憂患，都願意
埋頭苦幹，不計較工餉，
拚命抵抗着未來的災難。

清晨的太陽，撫摩着空曠的

68

平原，柔和的光綫映射着
瀲漣的水面，霧氣如煙。
先把縱橫的水源，疏濬
引導到江邊，讓涓涓滴滴
與正流匯合，一同馳濺。
這裏分配着工伕幾千。
漸池塘草色一望芊綿。

那低窪的地方，是激流底去向，
要從平地高築起堤防。
還有崩潰了的，要從新修築，
沿江岸，堵起幾百里的土牆。
這樣分配着工伕幾萬。
讓晌午的太陽暴晒着，一個個
臉龐更加黧黑，流着汗。
挑土的來往如梭，一筐筐
担着黃土，傾倒在逐漸
增高，漸逐加長的堤上。
還有打夯的，排椿的，那叫喚，
聯成一串雄偉的音響。
直到太陽落了山，纔紛紛

走散，各自把筋骨舒暢。

有時需趕工，在星月臨照下，
燃着汽油燈，燒着火把，
他們還得照常地做工。
也許颳一陣狂風，落半天
暴雨，祇要不妨礙工作，
也不能休息，照常地賣力。
終於完成了蜿蜒的堤防，
他們自己也不禁要誇讚：
「果然防避災患，全靠
羣衆自己底力量！」夜裏
會着工棚附近的私娼們，
打情罵俏，也更覺歡暢！

現在大汛將要來到，
新舊堤防的建築，已經
終了。大概都市和村莊，
今年可以避免了水患。

但是我們有更大的災難！

70

政治經濟與文化的侵略，

比洪水氾濫更覺兇殘！

我們也得同心合力，

爲了國族的長治久安，

用羣衆的力量，築一道「堤防」！

71

七月九日

十五年七月九日，在廣州，
中華民族發一聲怒吼。
　雄偉的力量，
　　是主義底感召；
　鋼鐵的紀律，
　　由統帥的訓導。
短期內肅清了封建殘逆，
青白紅的國旗插遍了大地！
　民衆底擁護，
　　作革命底前驅；
　將士的犧牲，
　　匯熱血成渠。
讓我們紀念歷史底光榮，
遠東更換了一副面容。

念六年七月九日，在廬山，
中華民族會合了賢良，
　單純的願望，
　　爲民族復興；

72

整齊的步伐，

向仇讎邁進。

希冀短期內驅除了頑敵，

青白紅的國旗插遍了失地！

集體地奮鬥，

莫自餒了志氣；

正義的抵抗，

予打擊者以打擊。

讓我們創造光榮的歷史，

不達到目的誓不休止！

入波濤湧翻

——記胡阿毛殉國事——

一個技術精純的卡車夫，
把血汗贍養他底父母，
如果不碰着敵軍底侵襲，
他們衣食無憂，很覺得滿足。

不幸的是在某處地方，
遇見敵軍底爪牙三兩，
忽然上前把他逮捕了，
理由是不該窺探他們底佈防。

兩手反縛，掙扎時腿上被刺一刀，
鮮紅的熱血，淋灑在柏油大道，
終於被牽到一個場所，像預備打靶，
追隨我們各地的許多同胞。

在砂袋堆成的壁壘前面，

74

便是妄用非刑，殺害無辜的地點，
惡魔們恣意仔細搜查他底身畔，
看有什麼秘密，有多少金錢？

這時恰被搜着他開車的照會，
一陣歡呼他們非常快慰。
等待他睜開兩眼，驀然醒來，
他疑是死了，却還坐着在開車的座位。

他回頭看是載滿卡車的軍火，
他們在向他講說，指手畫脚，
如果送到一個指定的去處，
不但不加殺害，還要優酬金貨。

同車有四個押運的軍人，
坐他身邊的一個，指臂頻伸，
命令他立刻開車急駛，
飛一般地走過了不少路程。

一時來到大道的尾端，
橫在前面的便是黃浦灘，

他一路籌思，立時決定，

把卡車開下大江，入波濤洶翻。

76

天長節

—據當時報紙記載—

一

一陣和暖的颯吹動了厚密的雲塊，
掩蓋着長空太陽底光采，
瀝青路上驟然得陰黯。
他從容地踱步，認清了虹口公園的方向。

路旁的憲兵，在嚴密地防範，
立正的姿式，手裏緊握着鋼槍，
更各用炯炯的眼神，
凝望着來往的閨淑士紳。

那些人們底模樣兒像很認眞，
男的衣裳整潔，女的滿額頸兒粉痕，
望着紅白布紮就的牌坊，
個個都覺有滿面的風光。

看看走到公園底門外，誰不着忙，

他也略有些驚慌，心在震顫，
憲兵們向他望了又望，週身檢查，
除了背着熱水壺，沒有刀槍。

眼前一亮，他從憲兵們身邊打轉，
跨進園門，便走僻靜的地方，
一面留神觀察園內的佈置，
看看手錶，恰纔到午前的九時。

園內已是插滿了旗幟，
第九師團底部隊，密密層層如織，
嘈雜的圍繞，是無數男女僑民，
更在聯翩地走進，紛紛紜紜。

祝賀臺，看上去很分明，
搭在全場底中心；
他裝做從容，把脚步輕移，
立在臺後的草地。

僑民們和他一樣地興奮，
祇他底內心還交織着悲壯的情緒，

78

等待着主將底蒞臨，
時間隨着雲塊飄行。

二

一陣心酸，兩眼暗噙淚水，
他在想着骨肉的碎飛，
可戀的人寰，可愛的領袖，
從此便當永久地分手！

可親的父母，可念的妻貧子幼，
也將要路隔幽明，爲了家國底仇讎；
但是熱烈的歡呼，四圍的應響，
譬如復國的一日，回到了家邦。

他想：爲了他們底幸福無量，
爲了人類底正義，終得伸張，
他應該激發更悲壯的悲壯，也該
鼓動更勇敢的勇敢，把生死置之度外！

「敵人不宣而戰，侵入上海，
對於中國的同胞，在任性地殺害；

79

猶如當日地亡滅我們朝鮮，
我們應該撲擊惡魔底兇焰。

「不僅是爲了大韓，我們應該冒險，
爲了世界底和平，人類底繁榮，文化底進前，
我們更應該進行，堅決了意志！
你誠敬地宣誓！宣誓！」

三日以前的情景，領袖底指示，
便在他眼前憧憬，立時堅定了意志；
更記得宣誓的原文，
立時振作了精神。

「祖先們！我大韓底祖先們！
爲你子孫底自由與獨立，我願意犧牲！
但犧牲須有相當的代價，
我願神靈默佑，送他們齊回老家！」

想着，祈禱着，他底容光煥發，
一種英武的神色，似乎凜然可怕，
他估計着距離祝賀臺的遠近。

耳邊傳過來軍樂底騷音。

三

一陣的鼓噪，僑民底歡迎，
疾馳的汽車載着白川司令，
全場肅立，與管絃應和，
齊聲高唱壯烈的軍歌。

他隨着唱歌，兩眼凝視着白川底動作，
他看着檢閱官兵，緩步在全場走過，
他望他踏上梯堦，終於立身臺上，
向着狂歡的僑民，作驕矜的演講。

他想動手，但他頗不願傷害友邦的官將，
他知道接着還得要祝賀天長；
他靜候着閱兵典禮底完畢，
果然友邦的官將，魚貫地告別而去。

贕臺上的白川，植田，野村，村井，重光；與
河端，僑民底首長；還有友野書記；
他們七個，都是說不盡地歡喜，興高彩烈，

81

臺下的軍民，周匝圍繞，繼續慶祝天長節。
「支那底屈服！抵抗底消滅！」
「大和魂底勝利！帝國底偉烈！」
「積極政策底成功！」
一唱百和，歡聲雷動！

「上海的佔領！東亞的英雄！」
「天皇底聖明！帝國軍人底奮勇！」
「征服世界的遠略雄心！」
一呼百諾，山鳴谷應！

羣衆接着又高唱國歌，表示崇敬；
表示由衷地歡欣；表示忠勤。
他便從熱水壺裏拿出炸彈，預備定當。
手拋彈落，拋向臺上，落在中央。

他們瞥見黑煙一縷，驟起驚慌；
向後退讓不及，七人全體受傷。
他看見大功告成，一陣歡喜，向憲兵走去，
說：「我扔炸彈！我是大韓尹奉吉！」

82

擬　語

萬里無雲，晴明天色下的曠野，
前進的士兵，結隊如洶湧的怒濤：
各個底臉上，流露着嘻嘻的歡笑，
踏着敵人底屍骸走去，氣壯聲豪。

「艱險的經過，想起來我猶膽戰，
彈雨下幾天不管肚餓衣也單，
如今看同伍的弟兄祇賸下三成，
無言地微笑着有時把眼淚偷彈。

「我原有勇往直前的豪氣，披靡，
身家性命，早不放在記憶裏，
待奪地得城，暫時休息的當兒，
却會陡然想起我屋裏的嬌妻。

「明天乘戰勝餘威，讓我追縱北去，
寥落喪膽的敵人，定當望風潰避，
若還再留得埽藏七尺的身軀，
把敵人殺盡，凱歌中，再來見你！」

戰　　歌

姊妹們莫再悲傷！

弟兄們揚起鋼鎗！

向前方拚命闖，

不打退敵人不要還鄉！

弟兄們丟出炸彈！

姊妹們救濟傷亡！

向前方拚命闖，

不殺盡敵人莫作晨餐。

向前方拚命闖，

準得教仇讎喪膽。

國殤，是弟兄姊妹們底榮光，

死於淩辱，還不如死在沙場！

有公理保障，

人類一天存在，一天正義勝強梁，

弟兄們，姊妹們，快些準備定當，

向前方，向前方拚命闖！

84

悼國殤

弟兄們，我撒給你們這鮮花，
　成陣紛飛，散陳地下，
我看見了你們勇敢的精靈，
　國徽週遭，聚散如雲。

弟兄們，我撒給你們這鮮花，
　光榮臉上，更添光華，
你們曾經呈獻寶貴的生命，
　如今沉默，青史留名。

如今長睡在永久沉默之中，
　風雨淒迷，無限哀痛，
但願後死的人們，踏着血蹟，
　和平奮鬥，犧牲努力。

死有重於泰山眞是光榮偉大！
別讓弟兄們，暗自悲傷泉下。

盧溝曉月

秦時明月漢時關，

萬里長征人未還，

但使龍城飛將在，

不教胡馬度陰山。

時：一九三七年七月九日前後

地：盧溝橋

人：東北青年	簡稱：青年
華軍步哨甲，乙	哨甲，乙
吉團長	吉氏
華軍大衆	華軍
民衆甲，乙，丙(女)	民甲，乙，丙
保安隊哨兵	保哨
敵軍大衆	敵軍

——幕啓——

第一場

景：斜跨舞台面的盧溝橋，東頭伸入台左；永定河兩岸樹木叢蔭。東岸樹叢上端隱約可見宛平縣城樓。橋欄石柱上端有雕刻精緻形態各別的石獅，狀極活躍，似欲

86

狂吼其鬱抑的悲憤。西頭橋口有簡單石亭，亭內碑石上刻有『盧溝曉月』四字，下設軍用電話。時爲八日黃昏，晚霞斑斕，暮靄氤氳，噪雜亂鳴的夏蟲，如一派笙簧奏演。華軍步哨甲乙自橋兩端來往踱步，時交臂走過，略一招呼，間作低語。東北青年自右方登場，到亭前瞻仰碑文。步哨甲上前偵察詢問。

哨甲 呔！你是什麼人？你來敢是做奸細？
站住！你！這是咱們二十九軍底防地！
敵軍底偵探這兩天時常來打千里眼；
你雖像是本國人，誰敢說你不是被收買的漢奸？

青年 弟兄！你且不要懷疑，你看我可是奸細？
我是東北大學的學生，乘暑假來此遊歷。
並且我知道這裏正在醞釀着新的事變，
我要喚醒睡夢，和你們底長官相見。

哨乙 （自橋東走來，幫同偵察。）
究竟你是什麼人？現在天色近黃昏，
莫非想趁這機會，要溜進宛平縣城？

青年 不，弟兄，我告訴過你們，我是學生！
若再說得明白，我是一個亡省的華人！
我底家鄉，原本在瀋陽城裏，
這幾年埋頭讀書，忍着滿腔的怒氣。

恨的是咱們爲什麼老是任人侵略？

眼見華北的山河又將隨那東四省陷落！

我還有特別消息，要向你們底長官報告，

你們聽這永定河底激流正在發着咆哮！

哨甲　（檢查東北青年身畔，毫無可疑形迹。）

好罷！讓你去到宛平縣城裏，

有什麼消息，請向營部告密！

聽你底聲音，果然是咱們老鄉，

馬那巴子，咱們好幾年沒見着瀋陽！

（東北青年踱步向橋東，自左方下場。步哨甲乙仍

舊來往地踱步。天氣在悶熱後吹來一陣陣的晚風，

似可聽見電桿木和樹葉底嗚嘯。）

哨乙　（駭訝地，跑步近甲。）

喂，二哥，你聽！像是有流彈飛過！

哨甲　瞎說！大概你聽了那一位底談說，

神經過敏地像聽見什麼，那是幻覺底憧憬。

哨乙　你看橋那邊，東河沿，像還有一大排黑影。

（東岸樹叢中，敵軍十數人悄悄走過。）

哨甲　別說啦！這還是神經過敏，你底幻覺！

他們真敢冒犯，咱們別讓他們通過！

（步哨乙到橋欄口細望，走到碑亭打電話。）

88

哨乙　喂！報告！蘆溝橋步哨趙得標！報告：

如果有敵人進攻，咱們應該開火呢還是往回跑？

（略停）

什麼？什麼？上頭有命令，不許咱們先開槍？

是，是，完了！

（把耳機放下。）

他娘，這又是第二瀋陽！

哨甲　你說的不錯，我也，剛起了『幻覺』，

眞像有他媽的幾個黑影子在那邊走過。

哨乙　誰知道今晚將要發生什麼事變，夥計！

要是兩面夾擊，咱們眞沒辦法兒躲避！

哨甲　可是我們守土有責！這就是咱們底墳地！

咱們應該還槍阻止，別讓他們過去！

哨乙　是的，上頭底命令，沒說不許後開槍。

哨甲　如果是不抵抗，喪失了咱們二十九軍底榮光！

哨乙　我還是再打報告，也好讓他們注意守城，

隨時準備着，要有動靜，就關緊城門！

（步哨乙又到碑亭前打電話。）

哨乙　喂，報告，蘆溝橋步哨，趙得標報告！

敵軍渡過永定河，像要從東西兩面襲橋……

（流彈飛來，中乙要害，乙突倒地。）

89

哨甲　夥計！怎麼啦？怎麼啦？留神！

咱們那位老鄉底報告果真還有點兒準，

（步哨甲跑到碑亭前預備打電話，橋東西頭，

各踴上敵軍數人，包圍甲成環形，齊高舉鋼槍

猛以刺刀扎下。這裏那裏有激越的槍聲。）

——幕急閉而紅啓——

第二場

景：時爲九日破曉，吉團長身先士卒，克復盧溝橋

後，橋欄上石獅皆鮮血淋漓，橋路上屍體狼籍

。吉向得勝休息的士兵們訓話。）

吉氏　弟兄們！不要淡忘了我們底仇恨！

我們是二十九軍底光榮的軍人！

卽使上頭有命令不許我們抵抗，

但也有命令不准把一寸的土地失喪。

爲了自衛，我們反攻準沒有錯！

不抵抗怎麼能把土地保護着，守着？

我們沒有啓釁，步哨底屍首是證據，

我們不能看着盧溝橋又被人佔去！

這勇敢的反攻，雖已犧牲了幾位弟兄，

在民族底歷史上却將永遠留下我們底光榮！

痛快呀！我們底大刀喝飽了敵人底腥血，

90

我們上回在那喜峯口，也曾把敵人震懾。

弟兄們，有不願意犧牲的，現在就請你退伍！

我們願意犧牲，纔算對得住中華民族！

盧溝橋便將是我們底墳墓，對不對？

中華民族再不能被人屈服！是吧？列位。

華軍　你說的是！你說的對！我們是國防底前衛！

我們欽佩你絕對服從着你底指揮！

盧溝橋便是我們底墳地，

準有全民族踹着我們底血漬

向前，把仇敵驅逐在中國底境外——

弟兄們，倫閒把我們底大刀磨快！

這一夜砍殺，砍殺得似乎還不舒服！

可笑敵人們被殺得跪地抱頭痛哭。

（碑亭前守軍，促吉去接電話。）

吉氏　我是吉星文，這裏是盧溝橋的陣地。

我們守土有責，所以趁這夜裏襲擊。

我們是正當防衛，我們不能後退！

華軍　對呀！我們是正當防衛，我們不能夠撤退！

吉氏　（放下電話，走向大衆。）

讓我們高呼中華民國萬歲！

華軍　中華民國萬歲！中華民族萬萬歲！

91

（民眾甲，乙，丙，攜大批慰勞食品及鋼製大刀數把，經橋東頭上場，慰問諸士兵，走近吉團長。）

民甲　誰是吉團長？誰是勇敢的吉團長？

我們欽佩你和貴軍底勇敢

你們給民族保衛了國防底前綫！

這裏送來了慰勞的食品和殺敵的刀劍。

民乙　現在全國的民眾，都感佩你們底抗敵，

不但克服盧溝橋，也克服了自餒的意氣。

果眞人人都不惜犧牲，人人都上前迎戰，

便能滌洗了恥辱，也便能恢復民族底健康！

民丙　我們都抱着决心，要和你們共存亡！

我們要留在這裏參加你們底抗戰！

吉氏　不，請回去！你們應該安全！

你們不懂得戰爭底兇險！

我們雖是十分欽佩這共赴國難的精神，

這裏人數很充足，無需再添上你們底犧牲！

後方的工作，和前線完全是一樣，

你們還是在後方，多給我們幫忙！

承蒙大眾底慰勞，我們是說不出地感謝！

華軍　祇有更加猛勇，總能夠表示我們底道謝！

我們能夠對付，再無需你們幫忙，

92

你們在這裏，到反障礙了我們底作戰。

民丙　那麼我們祇好遵命在後方協力，

我們願貴軍獲得最後的勝利！

（民衆向橋東頭走場，臨別依依，若不勝其留戀。碑亭前守軍，又促吉團長接電話。）

吉氏　（去接電話，締聽略停。）

什麼？還是要我們撤退？要我們撤兵？

撤退了，請問：可能夠保障東亞底和平？

敵軍未必就願意停止他們底進攻，

陣地上時常遭遇有敵軍底行動！

我們都甘願犧牲，寧可沒有後援，

執行長官底命令，保衛領土底安全。

（放下耳機。）

華軍　保衛領土底安全，等待和敵軍抗戰！

若要再撤退，這北平又就是第二瀋陽！

（有端敵軍繞過碑亭，忽然湧上，華軍迅即迎擊，大刀飛舞，槍聲震響，手溜彈時有爆炸，雙方士兵互有死傷，軍號高亢中，激戰肉搏愈猛烈。）

華軍　來得好！向前衝鋒呀！向前殺！

（高呼）

殺！——殺！——殺！

93

（舞台混戰中）

——幕急閉而緩啓——

第三場

景：時爲九日後數日底清晨，青軍激戰獲勝後，仍奉令撤退，由保安隊接防。橋西頭置有砂袋高壘，曉月照臨景象蕭瑟，夏蟲底噪雜和風撼電桿木與樹葉底嘯鳴如在低訴哀怨。一保安隊哨兵，在砂壘前似甚慷慨激昂，時撫石獅，仰天長嘆。）

保哨　你亞東底雄獅幾時纔警醒清夢？
　　　空有奮張的姿態，還是麻木擬夢？
　　　弟兄們底犧牲，何嘗有精神上底安慰？
　　　正當防衛，爲什麼還是壓迫他們撤退？
　　　換上我們這幾個不能保安的保安隊，
　　　望着斑爛的血漬我眞是覺得慚愧！
　　　（東北青年從橋東頭走來，撫保安隊哨兵肩背。）

青年　喂，朋友，你可是換了防的保安隊弟兄？
　　　値得紀念的祇是二十九軍底光榮！
　　　這裏是我們國防底前綫，
　　　爲什麼不再和敵軍周旋？

保哨　喂！你是誰呀？來這兒幹什麼？
　　　眞有膽量！你還敢在這兒走過？

94

吉團長和弟兄們又打了一個勝仗，
但是爲了和平，他們奉命撤退到後防。
青年　撤退後防？唉！我眞不懂他們是什麽心腸?!
敵軍積極地行動，難道還看不端詳？
我們如果再退讓，今天華北，是往日的東三省，
又恐明天的首都，將變成今日的北平城！
保腈　可不是？敵軍底胃口，再沒有飽足，
屈服，屈服，將斷送整個中華底版圖！
中華民族，已經有五千年的歷史！
五千年來，從沒有受過這樣的羞恥！
青年　我是東北人，你像也還是咱們東北人，
幾年來，你該也受夠了亡省的苦悶！
要是全國再沒有決心，把敵軍驅逐，
不但那些失地是永遠再不能收復，
我們四萬萬五千萬人，都得變成了奴隸！
可堪再忍受異族征服者底凌逼？
唉！我底熱望又已變作了鏡花水月，
我底軀體像正給萬千的餓獅在撕裂，
我再也忍受不下了！這裏也正是我的墳墓，
追隨抗戰的先烈，我要來齊聲痛哭！
我底屍諫，如果還有人注意，

95

也許還能夠給他們受些刺激！

願我們賢明的長官，到底能決心抗守！

盧溝橋的事變，不就是『最後關頭』?!

到了最後關頭，再不能顧惜犧牲，

焦土抗戰是復興民族的前程！

再會吧！擁有五千年文化的中華民族！

軒轅黃帝底子孫，不能把祖先辱沒！

（東北青年忽從懷中取手槍自擊倒地，保安隊哨兵跑來解救，一陣風吹樹葉和電桿木的嘶鳴，和着蟲聲底噪雜，若低訴其幽怨與悲憤。遠處隱約地互動的軍笳中，有漸密漸近的槍聲。）

——幕閉——

葡萄美酒夜光杯，

欲飲琵琶馬上催。

醉臥沙場君莫笑，

古來爭戰幾人回？

96

付印題記

十年前在上海泰東圖書局印行過一册『無譜之曲』詩集，現在手頭已沒有存書，而友朋時來索取，遂引起自印重版的計劃。因這十年以來，又曾陸續地寫成了一些詩篇，本預備重加整理，合併印行。但是在這艱苦的時代，自覺應該放棄小我的吟詠，而擴張大我的表現，藉以留下時代的面目。所以最後決定先印成這本『敍事詩輯』；等待最近的將來，解除了國難，歌舞着昇平的時候，再印行那些淺斟低唱蕩氣迴腸的『抒情詩輯』。

這些詩篇，自視都未能滿意，依然是習作時期的拙稚產品；刊行的旨趣，除了分贈友朋，兼爲敝帚之自珍；當然還期望讀者能給與切實的批評與指教，使於今後的習作，能有所準則，而漸入精純！

遠承錢君匋兄代繪封面，謹此道謝。

蔣山青　　一九三七年八月

98

山青詩草

第壹卷·敘事詩輯

一九三七年八月初版
每冊實價國幣肆角

著作者 蔣山青
發行者 山川書屋
印刷者 掃蕩報工務課
總經售處 華中圖書公司
漢口特三區湖北街
分發行所 各埠各書局

作者其他著作

秋　蟬	短篇小說集	出版合作社版
月上柳梢頭	,,　,,	,,　,,
紅　睡	,,　,,	,,　,,
流不盡的血	,,　,,	山川書屋版
重　戀	長篇小說集	,,　,,
春　繭	散文集	啓智書局版
無譜之曲	詩　集	泰東圖書局版
花影集選	編選散曲集	,,　,,
紅　羊	史詩集	撰　著　中
山靑詩草第二卷	抒情詩輯	待　印　中

100

勘誤表

頁	行	字	誤	正
7	9	9	發	潑
12	4	12	的	(衍文)
15	16	1	驟	眛
30	2	7	濟	斷
40	3	14下	着郁	着馥郁
55	6	5	了	(衍文)
74	4	4	瞭	燎
74	8	1	過	渦
78	17	11	狀	壯
85	12	11	蹟	漬
89	1	6	盧	廬
89	8	9下	也，剛	也剛
90	4	2	踊	擁
93	6	7	締	諦
93	16	11	涌	擁
95	8	9	個	幅